OLD SPAIN

The Century Modern Language Series
Kenneth McKenzie, Editor

AZORÍN, *pseud.*

OLD SPAIN

Martinez Ruiz, Jose

EDITED

WITH INTRODUCTION, NOTES, EXERCISES AND VOCABULARY

BY

GEORGE BAER FUNDENBURG, Ph.D.

PROFESSOR OF ROMANCE LANGUAGES
GROVE CITY COLLEGE

New York & London
THE CENTURY CO.

AUTHORIZED EDITION

EXCLUSIVE RIGHT OF PUBLICATION AS A TEXTBOOK SECURED BY SPECIAL
ARRANGEMENT WITH THE EDITORIAL CARO RAGGIO, MADRID, PUBLISHERS
OF THE WORKS OF AZORÍN

Copyright, 1928, by
THE CENTURY CO.

248

A PEPITA Y A SANTIAGO

A la señora doña Josefina Díaz de Artigas y al señor don Santiago Artigas.

Admirables, en el arte; meritísimos, en la amistad.

AZORÍN

PREFACE

The works of Azorín, although universally admitted to be among the best of modern Spanish literature, have received relatively slight attention in the American class-room. This is probably due to the fact that, whatever value an essayist and critic may offer to advanced students, he does not present his thought in a form that is readily adaptable to the primary purpose of the earlier years of language study. The study of language *per se* requires a text with sufficient dialogue and change of topic to afford ample conversational opportunity. If unusual literary excellence can be found in addition to this fundamental necessity, the text is more than ever available. *Old Spain,* beside being a very recent contribution of one of the foremost of present-day Spanish authors, fulfils both requirements. It reveals the same charm of style that pervades all of Azorín's works, and furthermore its natural unadorned dialogue provides admirable material for class-room drill as early as the end of the first year of college or any time after the first year in high school. The interest of the play, depending as it does on the scene-by-scene exposition of character and situation, rather than on intricacies of plot, is especially suitable for the short lessons of the first year or two. At the same time, a rapid reading by more advanced classes will afford a clear appreciation of the literary style and purpose of the important group of which Azorín is a leader.

The editor wishes to express his appreciation to Professor F. L. Critchlow and to Mr. Gomez Durán for generous help in clearing up difficulties of idiom, and to Professor Kenneth McKenzie for his assistance in the preparation of the manuscript and the correction of the proof.

G. B. F.

INTRODUCTION

Contemporary Spanish literature may be said to throw its roots back as far as the age of romanticism; and since the romantic school celebrated its first success in Spain in 1833, this year may be taken as the starting point for modern Spanish literature. During the first third of the century, when romanticism was flourishing abroad, the Spanish intellectuals were living in exile in France and England. With the death of King Fernando in 1833, the infant princess Isabel II succeeded to the throne. This was the occasion for a Carlist uprising which had one beneficial, if unpremeditated, result. Since the Carlists were reactionaries, seeking to dethrone the princess and establish as king her uncle don Carlos, the queen regent María Cristina was compelled to seek support from the liberals; and the consequent increase in individual freedom brought many exiles back to Spain. There began then the literary development that provides the foundation for the present-day eminence of Spain in the world of letters.

Spanish romanticism blossomed almost overnight. After long years of sterility in letters, the country was unusually receptive to whatever offering its writers might make. But the chief cause of the instant success of romanticism was the fact that it was presented to the Spanish public in finished form. The writers returning from foreign lands brought back with them, in addition to a more cosmopolitan view, a first-hand contact with the literary inspiration then dominating those countries. Martínez de la Rosa's *Conjuración de Venecia* had been composed in Paris in 1830, and with its successful presentation in Madrid in 1833, romanticism was at once in vogue. After the first enthusiasm had passed, a natural reaction set in. In the year 1849, Fernán Caballero initiated the regional novel with the publication of *La Gaviota,* and thereby opened the way to the development of realism. During the remainder of the century, Spanish genius was to reach a high degree of perfection in this field in the works of Pereda, Pérez Galdós, and Palacio Valdés. Regionalism and realism were, at the outset at least, more or less synonymous; the extreme pessimism of some French and Russian novelists was never popular in Spain, but realism consisted largely in the portrayal of provincial types. Although to a certain extent the intellectual center of the country, Madrid has never dominated Spain to the exclusion of regional consciousness. Galdós alone stands out as the one great writer whose inspiration is national rather than local. Other authors have attained their greatest success in describing the traditions and manners of their respective native provinces. This, then, is the literary tradition to which the writers of the present generation fell heir. It is a literature rich in color, truthful in depiction of characters and localities, eloquent and sonorous in structure. It is difficult to imagine any considerable improvement in the field of realism. It is therefore not surprising that the next movement should seek its effect in a somewhat different direction.

Since the peculiar characteristics of the modern school have been affected by a new philosophy of Spanish nationalism, we must not overlook the political events of this period. In the declining years of the nineteenth century, momentous occurrences in the national life of Spain contributed to prepare the way for a new school of writers. The century had begun with an epoch of misrule and loss of national prestige. During Fernando's reign (1814–1833), most of the Spanish colonies in America had secured their independence. The long reign of Isabel, although unpopular, and disturbed at the beginning by the first Carlist War, offered a period of comparative peace that resulted in progress. But with the deposition of Isabel in 1868 began again a time of uncertainty culminating in disaster. Now came the tumultuous years of provisional governments, interspersed with the brief reign of the *intruso* don Amadeo, and the still briefer republic of Castelar. There were minor revolutions, and another Carlist War. The ensuing period of peace ended in the war with the United States through which Spain lost her last foothold in America and in the Orient. These events, not less than the literary heritage, were destined to exercise an influence on the literature that should follow.

In the midst of the gloom occasioned by her loss of international importance, there existed in Spain certain redeeming influences that have been the basis for a revival in national pride. There has been no catastrophic upset in the Spanish government since the Cuban War, although one may question the stability of a rule under which Primo Rivera's revolution was possible. But Spain need not be unduly pessimistic because she has shared in the general upheaval following the World War. Education in Spain, always backward, has made considerable strides in recent decades. The Institución libre de enseñanza of Francisco Giner de los Ríos, established in 1870, has provided a nucleus of thinkers who have exerted a notable influence in the politics and literature of the country. The more recently founded Centro de Estudios Históricos, open alike to men and women, to Spaniard and to foreigner, is doing a great educational work that in time must bear abundant fruit.

In the literary world, the year 1898 gave its name to a group of Spanish writers who instituted what may be called a national renaissance. The term "renaissance" is especially appropriate, for this movement is indeed a rebirth of the courage and pride that made a great nation of Spain in the past, and likewise a rebirth, though with modifications, of the high literary ideals of the great authors of the preceding generations. Accepting the lesson of the disastrous course of Spanish political history, the writers of the so-called generation of 1898, diverse in many respects, are united in fundamental principles. First of all, they are patriots, although not blinded by the *españolismo* which has in the past created a prejudice against foreign influences. They are willing to accept the contribution of every country, and although in general modernists, they have no desire to break completely with the past. On the contrary, much of their inspiration has come from the resurrection of forgotten or neglected authors. In a negative way, their program has included the abolishing of the admittedly conspicuous Spanish faults of careless writing and pompous redundant style. Their style abandons rhetorical figures, seeking to create its appeal by the simplicity and truthfulness of its presentation of life. They believe furthermore that they can improve upon the realists by a severer artistic discipline. They pay little attention to the conventional formulas of writing. Plot is deemed unessential, and moreover untrue to life. There is a vast enthusiasm for simple things—for the plains and the mountains, the old cities and the historic ruins. The generation of 1898 comprises a group as distinguished as any nation can boast in recent times. Many of the names are well known to the American reader. Of the most notable may be mentioned Unamuno in the field of philosophy, Azorín in literary criticism, the Machado brothers and Marquina in poetry; while in the drama we find Benevente and the Quinteros, and in the novel, Pío Baroja and Valle-Inclán. The journalist Maetzu, the historian Altamira, and last, but by no means least, Menéndez Pidal, a world authority on Romance philology, are associated with this group.

José Martínez Ruiz (born in 1874 in Monóvar, in the province of Alicante), better known under the assumed name of Azorín, is the greatest prose stylist of the generation of 1898. The name Azorín, which he eventually adopted as his own, was first made famous in three of his novels: *La voluntad* (1902), *Antonio Azorín* (1903), and *Las confesiones de un pequeño filósofo* (1904). In these we become acquainted with the author himself, who is none other than his hero. In speaking of these books, the term "novel" must be used with reservations. They have no plot, and little character drawing. They present nothing more than the author himself, his thoughts and his impressions. The attraction of Azorín lies in style, the clear picturing of ancient cities whose origin is lost in the dimness of the past, scenes drawn with vivid, sure touch in lines of minutest detail, peasant homes described by an artist who knows the name of each object, however insignificant, landscapes that stimulate the imagination but do not burden with poetic rhapsodies. This very delicacy of treatment and this attention to minutiæ that in his novels produce an effect somewhat bewildering to the reader, lend to his essays a charm that is unsurpassed. And it is, after all, as a critic that his fame is universal. Azorín has shown himself an admirer of the best authors of the past. His choice, like his criticism, is purely subjective, with the result that he is frequently at variance with generally accepted valuations. In this fact also lies much of the value of his critical works; he has brought about reconsideration and revaluation of many authors neglected by earlier critics. A favorite method of his is the resurrection of scenes and personages from old Spanish books, presenting a fleeting glimpse of some forgotten character, awakening memories and kindling new interest in the masterpieces of by-gone days much as Charles Lamb helped to revive an interest in the minor Elizabethan dramatists.

At the beginning, Azorín's passion for detail and accuracy led him occasionally into the error of presenting on a common level the unessential with the important. His later works, retaining the thin, sharp impressions, show a growing appreciation of proportions. Undoubtedly thirty-some years of literary activity have modified the dogmatic quality of his conceptions, and have lessened the feeling of revolt against the bombastic style of earlier writers. Yet in the main he and the other members of the group have clung to their youthful ideals. The description of the novel as it should be, set down by Azorín in *La voluntad,* applies to *Figuras de cera* and the *Laberinto de las sirenas* of Pío Baroja, and to other recent publications of this group. What Azorín has said of the novel he would doubtless apply to the drama. Speaking impartially of the writers of previous ages, he says: "The novel is far, very far from its correct expression. . . . To begin with, there should not be any plot; Life has no plot; it is varied, many-sided, contradictory, anything but symmetrical and rigidly geometrical, as it appears in novels." So of the drama he says: "Life cannot be compressed into one volume . . . and for this reason the drama is a commercial art, outside of literature."

That Azorín in *Old Spain* presents to us a theatrical piece is in evident contradiction to these earlier declarations. However, the contradiction is more apparent than real, for though he may appeal to the public through the stage, he still adheres to his convictions concerning the limitations of the drama. This is doubtless the explanation for the only moderate enthusiasm with which *Old Spain* was received by the theater-going public at the time of its first performance in 1926. As a play, it lacks the qualities that long tradition has trained us to demand on the stage. When we read it, however, we are less preoccupied with the technical requirements of the theater, and we recognize the work for what it is—an excellent portrayal of the spirit of Spain contrasted with the busy, rushing world of to-day, and lightened by the incongruity of a perfectly impossible American in a setting that enhances his comic absurdity. Azorín makes the American carry a message that in some measure is the conviction of the author. Probably he would recommend a happy medium between the self-contented, conservative, tradition-loving Spainard and the impetuous American who carries his progressive ideas of business even into his love-making.

It has been said that Azorín lacks originality, that to read one of his novels is to know his entire work. The criticism is to a certain degree true of his method. An unsigned work by Azorín might be readily identified through various characteristics that are common to all his productions. The plot, not necessarily entirely absent, is never of importance comparable with the interest of the work scene by scene. There is always the same thin-cut sentence, sharp and clear, but devoid of richness and rounded eloquence. There is the too obvious effort to build up effect by repetition of words or actions. There is the valiant defense of the best in Spain's traditions and the determination to pass by nothing of value in modern civilization. Added to these is the never-failing precision of detail and analysis, and finally the frequent recurrence of scenes that evoke the charm of Spanish landscape and the appeal of majestic monuments of the past glories of Spain's history.

In *Old Spain* are present the excellences and the weaknesses of all his works. In a sense the play has a plot: it is the love-affair of don Joaquín and Pepita, and it reaches its climax in Pepita's yielding to the impetuous love-making of the American hero. But in a larger way the real theme is the struggle between the old and the new. The Marqués de Cilleros of course represents the old, and expresses for the author his love of the ancient traditions of Spain, his regret at the passing of historic monuments, his conviction that there can be much spiritual activity in a man who is seemingly unperturbed by the swift-moving current of life. The argument for modern civilization is carried by don Joaquín, the American-born Spaniard, who declares—and we feel that he too speaks for the author—that there must be progress, that the Spanish people must be shocked out of their agelong quiescence, that it does make a difference whether the train arrives in six hours or in twelve! And the solution of the problem is found by Pepita, who loves the gray dawn following the starry night, who prefers the quiet spaces and the solitary life to the untried charms of distant lands, but who, unlike her father, has the courage of youth to strike from the beaten path, to stake all in the glorious adventure that is life.

Azorín's fondness for detail is everywhere apparent. A passage from *Old Spain* might have been expressed in these words: "I picked up a leaf on which don Joaquín had written some notes." But Azorín is not content with such disregard of the possibilities of detail. His account runs thus:

"One evening I was walking through the Alameda Vieja with Agueda; that gentleman was in front of us; he had been writing in a little notebook, and afterward was tearing out the leaves and putting them away in a wallet. As it was windy, one of the leaves escaped from him without his noticing it and began to flutter over the field. Agueda caught it and gave it to me. The note was written in English; I will show it to you in a moment."

Azorín the stylist, too, is apparent in this play:

"Cirilo Parra told me all that afterward, in the Casino. You know Cirilo Parra? Cirilo Parra was, last night, at nine o'clock, talking with his sweetheart. Cirilo's sweetheart lives in Tajineros Street, at the corner of Reloj Street. Cirilo was talking with his sweetheart, at nine, and suddenly . . ."

There is a true ring to these sentences, plain and unadorned as they are. The colloquial verbosity of the rustic speaker betrays the garrulous character of the village gossip, and suggests the small-town joy over a morsel of scandal, and the reluctance to yield the full truth sooner than need be, lest some of the pleasure of telling be lost. This passage exemplifies well the virtue—or the fault—of repetition. All in all, it attains the end of dramatic dialogue, which is to reveal character in natural, effortless speech. The same brevity of phrase, the sparing use of the adjective, and the repetition like a recurring note of music renders almost poetical such passages as that in which Pepita describes her "land of Castile" (see Page 49). Here, too, we have that impression of the sameness of the past and present, the coloring of the present by the past, the suggestion that the future will be a combination of present and past.

No discussion of Azorín would be complete without mention of his humor. Not many Spanish authors have had the gift of bubbling, irresistible, whimsical nonsense that brings a laugh whether we will or no. Such humor is particularly abundant in this play. It is a thing not so much of situation as of character. The irrepressible enthusiasm of don Joaquín, the sympathetic whimsicality of Mr. Brown, the ludicrously intense partizanship of the townspeople, the unimaginative sentimentality of doña Marcela, challenge the reader. Who reads must laugh. The alternative is to close the book. The humor is rather obvious, it may disappoint those who insist on subtlety, but let us remember that the great humorists—Molière is the classic example—have not been too subtle.

So far our effort has been to appreciate something of the methods and purpose of Azorín, together with the background that partially explains the generation of 1898. Some passing reference has been made to the recognition accorded him in his own country and abroad. Our discussion may well be completed by quoting from an exceptionally able criticism written by Professor de Onís for the *Romanic Review* of 1925. Commenting on the election of Azorín to the Academy, Professor de Onís says:

"The real interest to literature is the volume he prepared in lieu of the conventional speech of entrance, which is most characteristic of him, and the furthest removed that can be imagined from a speech. The book is called *Una hora de España*, and is composed of a series of short essays, half poetic and half historical evocations of incidents and figures from Spain's past. Following his own peculiar procedure of seeing the whole in one detail, the eternal in the transient, and the universal in the trivial, he has sought to give in one moment of Spain's existence the eternal Spain, and to illuminate her character and her history. . . . An event like the destruction of the Armada is described in a single scene: the bearer of the post hastening to deliver the contents of his wallet, wherein is contained the news of the unhappy end of the fleet and of so many hopes. With such slight and humble details Azorín conveys the whole historical meaning of this fact which determined the course of future history. . . . Azorín's version of the past and the present (which to him are one and the same thing) is the most intense of all contemporary writers, and he must be therefore one of the first that those who wish to understand Spain should know."

It is because Azorín is so preëminent as an interpreter of Spain and all things Spanish that this play is offered with confidence to the American student. In Azorín we see a foremost representative of modern Spanish literature, and in him too we observe the characteristics of the group in which he is a leader. And finally, through him we are able to gain a greater appreciation of the height reached by Spain during a century of literary growth.

CONTENTS

OLD SPAIN

LAS ACOTACIONES

He reducido a lo indispensable las acotaciones. No he puesto tampoco, a la cabeza de cada acto o cuadro, sino poquísimas palabras para situar la escena. No he podido nunca leer sin trabajo las difusas, prolijas, pintorescas descripciones que se suelen ingerir en las obras escénicas. Las acotaciones, para el actor original, observador, no sirven de nada. Estorban y no ayudan. En el arte del teatro, el diálogo lo es todo. Todo debe estar en el diálogo. En el diálogo limpio, resistente y flexible a la vez; flúido y coloreado. Cada actor ha de encontrar en el diálogo motivación para su arte personal. En el primer acto de esta comedia, a lo largo de la escena —tan difícil— entre don Joaquín y míster Brown, lo mismo que en la escena de la farsa final, yo podría haber expresado los mil efectos y recursos de risas, llantos fingidos, miedos cómicos, piruetas, lentitudes medrosas, exclamaciones, muecas, visajes, etc., etc., que los dos primeros creadores de *Old Spain,* Santiago Artigas y Manuel Díaz González, geniales, personalísimos, han puesto en la interpretación. He creído, sin embargo, que debía dejar ancho campo a la espontaneidad de otras creaciones. ¡La imaginación, la imaginación y siempre la imaginación es la gran creadora —madre fecunda— en el Arte!

AZORÍN.

Madrid, 1926.

4

Esta obra ha sido representada por la compañía Díaz-Artigas
con el siguiente reparto:

PEPITA, Josefina Díaz de Artigas. LUCITA, Carmen M.
Ortega. JULIANA, Isabel Zurita. DOÑA MARCELA, Elena Ro-
driguez. AGUEDA, Natividad Ríos. BLASA, Emilia de Haro.
MARQUÉS DE CILLEROS, Manuel Díaz de la Haza. DON
JOAQUÍN, Santiago Artigas, MÍSTER BROWN, Manuel Díaz
González. ACTOR, Fernando F. de Córdoba. SEÑOR CI-
CUÉNDEZ, Fulgencio Nogueras. DON CLAUDIO PISANA, Rafael
Ragel. ALCALDE, José Trescoli. CORRESPONSAL, Octavio
Castellanos. DON VEDASTO, Rafael Ragel. DON NEMESIO,
Aniceto Alemán. LORENZO, Manuel Dicenta.

Apuntadores: Joaquín Llácer y Jaime Rosa.
Director de escena: D. Manuel Díaz de la Haza.

La interpretación fué delicada, escrupulosa, genial.

OLD SPAIN

PRÓLOGO

*A telón corrido. Se oyen voces de una disputa; sale un actor;
figura que acaba de interrumpir una discusión.*

EL ACTOR

Señores y señoras: El director de escena y el autor . . .
(*Aparece por un lado del escenario, cautelosamente, míster
Brown, vestido de payaso. Lo ve el actor y se dirige a él.*)
¿Qué hace usted ahí, míster Brown? No está permitido escu-
char; usted no puede oír lo que estoy diciendo.

MÍSTER BROWN

¿Yo no poder oír lo que está usted diciendo? ¿No estar
permitido escuchar? 5

EL ACTOR

¡No; no, señor! Puede usted marcharse; márchese usted.

MÍSTER BROWN

Yo ser muy amigo de usted. Yo quererle a usted mucho;
yo llevarle a usted en mi corazón. ¿Eh, señor Antoine?

EL ACTOR

Ni yo me llamo Antoine, ni soy amigo de usted. ¡Largo!
No es cosa de broma; estoy hablando en serio con estos 10
señores. Hágame el favor . . .

MÍSTER BROWN

¿No poder oír ni una palabra? Usted habla con mucha
elocuencia, eh; sí, con mucha elocuencia, señor Antoine; es
un gran orador. ¿No? Déjeme; déjeme tener el gusto de

escuchar su bella, su gentil, su hermosa, su soberana, su maravillosa palabra.

EL ACTOR

Bueno, bueno; si usted no se marcha, yo no puedo continuar.

MÍSTER BROWN

5 ¿Y por qué no poder continuar?

EL ACTOR

Porque usted no debe saber lo que estoy diciendo.

MÍSTER BROWN

¿Y por qué no debo yo saber lo que está usted diciendo?

EL ACTOR

¡Caray, qué posma de hombre! Porque si lo oyera usted, pues ya no habría comedia.

MÍSTER BROWN

10 Y si no habría comedia, ¿yo no podría trabajar en la obra?

EL ACTOR

¡Naturalmente!

MÍSTER BROWN

¡Ah, señor Antoine! Entonces, yo me marcho. Yo quiero trabajar en la obra. Yo quiero lucirme en la comedia. ¡Adiós, 15 adiós, señor Antoine! ¡Abur, señor Antoine! ¡Que lo pase usted bien, señor Antoine!

EL ACTOR

¡Qué pesadez! Llámeme usted como quiera, pero . . . márchese. (*Se marcha míster Brown.*) Perdone el respetable público. Tenía yo el honor de estar diciendo que el director 20 de escena y el autor han mantenido una empeñada discusión . . . empeñada, pero, vamos, cordial . . . Una empeñada discusión sobre la obra que vamos a representar. El texto de la obra no es largo; pero hay varios cambios de decoración que exigen bastante tiempo. El director y el autor —y en 25 esto están los dos de acuerdo— temen que el público se impaciente. Un público impaciente es siempre temible. Para ganar tiempo —ya que no se pueda ganar otra cosa— el autor ha decidido suprimir el prólogo (*Aparece otra vez, por un lado del escenario, calladamente, míster Brown. El actor lo ve y le dice:*) Pero, bien, míster Brown, ¿no se había usted marchado?

MÍSTER BROWN

No he oído nada, señor. He estado en mi cuarto, señor.

EL ACTOR

¿No se había usted marchado?

MÍSTER BROWN

Sí, me había marchado; pero . . . he vuelto.

EL ACTOR

Ya lo veo. Ya veo que se empeña en oír usted lo que no le importa. Y se lo vuelvo a repetir . . .

MÍSTER BROWN

¿Usted quererme a mí repetir una cosa? Yo le quiero repetir también a usted otra cosa.

EL ACTOR

Déjeme usted hablar. ¿Qué quiere usted repetirme?

MÍSTER BROWN

Que yo soy un amigo entusiasta, apasionado, fervoroso, frenético, de usted, señor Antoine.

EL ACTOR

No necesita usted repetirme esas simplezas. Voy a acabar de hablar con los señores. Estamos gastando un tiempo que vamos a necesitar luego. Dispóngase a trabajar en la comedia.

MÍSTER BROWN

¿No le gusta a usted la comedia?

EL ACTOR

Eso ya lo veremos luego. Ahora, márchese.

MÍSTER BROWN

¿Y si no quiero marcharme?

EL ACTOR

Yo les diré a todos estos señores que le echen a usted.

MÍSTER BROWN

Pues yo traeré a mis amigos para que me defiendan.

EL ACTOR

¿Quiénes son los amigos de usted?

MÍSTER BROWN

Mis amigos son Pierrot, Pantalón, Franca-Tripa, Arle-
5 quín, el capitán Ceremonia . . .

EL ACTOR

¡Bah, bah, bah, bah!

MÍSTER BROWN

¡Ah, ah, ah, ah!

EL ACTOR

Si no quiere usted marcharse, no comienza la función.

MÍSTER BROWN

¿No comienza la función? . . . Entonces, me marcho.
10 ¡Adiós, adiós, señor Antoine; querido señor Antoine, amadísimo señor Antoine! . . . (*Se marcha míster Brown.*)

EL ACTOR

Perdone el respetable público; tenía yo el honor de ir
diciendo que en el prólogo suprimido se hacía ver al protagonista en su misma patria de Nueva York. El protagonista
15 es un archimillonario, hijo de padre español y de madre
norteamericana. Siente grandes deseos este señor de venir a
España. Toda su vida —no es viejo— la ha pasado rodeado,
en su despacho, de ambiente español. Pero quiere venir a
España, no como multimillonario, sino fingiéndose pobre para
20 poder vivir ignorado en una vieja ciudad castellana. (¡Qué
cosas tienen algunos millonarios norteamericanos!) Su tío,
español, trata de disuadirle de su intento, pero como el protagonista es un poco temático y un mucho extravagante, se
sale al cabo con la suya y emprende el viaje a España. Le
25 decía su tío que con tantos millones sería imposible pasar

inadvertido en una pequeña ciudad. Pero él no le ha hecho caso a su tío ... Y ya está aquí nuestro hombre entre nosotros. Va a aparecer dentro de un momento; ustedes lo van a conocer en seguida.

Señoras y señores: El autor me encarga pida a ustedes por adelantado perdón por sus muchas faltas. Si ustedes no quieren ... *no lo hará más.* (*Vuelve a aparecer míster Brown.*) ¿Aquí otra vez?

MÍSTER BROWN

Yo ser muy amigo de usted.

EL ACTOR

¿Ha oído usted algo?

MÍSTER BROWN

Yo no he oído nada; ni una palabra.

EL ACTOR

Pues si tan tozudo es usted ... ahí se queda con los señores; yo he terminado. Ahora usted se arreglará como pueda. (*Se marcha el actor.*)

MÍSTER BROWN

¿Que yo me arreglaré como pueda? ¿Han oído ustedes? ¿Y qué hago yo ahora? ¡No, no, esto no es el circo! No tengo aquí ni trapecio, ni barras fijas, ni aros, ni pesas ... ¿Ustedes creen algo de lo que les ha contado ese señor? Seguramente les habrá contado una porción de boberías. Ese señor es un iluso ... ¡Ay, me está oyendo! Está allí enfrente, allá arriba. ¡Vaya, adonde se ha colocado! ¡Ja, ja, ja! ¡Eh, señor Antoine! Yo voy a subir también ahí a acompañarle a usted; yo soy siempre su amigo de usted ... Voy, voy. ¿Por dónde salgo? (*Intenta saltar por las candilejas.*) ¡No, no; por aquí, no, que está muy alto. (*Asomándose a la concha del apuntador.*) Por aquí tampoco puedo salir; está ocupado. La función debe comenzar en seguida. ¡Eh, señor Antoine! Iré por este lado ... ¡Adiós, señores, adiós! Lo que me voy a reír después ... ¡Ja, ja, ja!

ACTO PRIMERO

Salita modesta. Puertas, al fondo y a la derecha.
Al levantarse el telón se oye una flauta dentro.
Se hallan en escena Doña Marcela *y* Lucita.

LUCITA

Vamos, mamá; te encuentro como siempre, aquí, sola y llorando.

DOÑA MARCELA

Déjame llorar, Lucita.

LUCITA

Pero, mamá, ¿por qué vas a llorar?

DOÑA MARCELA

⁵ Lloro, ya lo sabes, porque cada vez que oigo tocar la flauta al señor Cicuendez me acuerdo de tu pobre padre.

LUCITA

Pero, entonces, ¡no se va a acabar tu llanto nunca! Porque todas las mañanas, sin faltar una, el señor Cicuendez toca en su cuarto la flauta.

DOÑA MARCELA

¹⁰ Y yo me acuerdo de tu pobre padre, que tan buen músico era.

LUCITA

Pero, mamá, serénate. Eso no es razón.

DOÑA MARCELA

Sí es razón. Me acuerdo de tu pobre padre y me acuerdo de

aquellos tiempos en que nosotras éramos otra cosa de lo que somos ahora.

LUCITA

Sí; yo era entonces chiquita, pero yo también me acuerdo. Entonces éramos ricos. Ahora no lo somos. Pero, ¿le pedimos nosotras nada a nadie?   5

DOÑA MARCELA

¡Tener una casa de huéspedes! . . .

LUCITA

Tener una casa de huéspedes y ser tan decentes como lo sea el que más. ¡Qué importa que el trabajo sea uno u otro! La cuestión, mamá, es que el trabajo sea decoroso.

DOÑA MARCELA

¡Tener una casa de huéspedes!   10

LUCITA

¡Dale! ¿Y qué más da tener una casa de huéspedes o una fábrica de sombreros o un obrador de plancha?

DOÑA MARCELA

Pero cuando me acuerdo de aquellos tiempos . . .

LUCITA

Aquellos tiempos no son éstos. Tienes razón. Pero, ¿es deshonra el vivir del trabajo? Y luego, los huéspedes que tene- 15 mos todos son personas decentes, dignísimas . . .

DOÑA MARCELA

Sí, es verdad. Si no fuera por eso . . .

LUCITA

Son todos como de la familia. Ya ves, el señor Cicuendez, don Claudio, don Joaquín, míster Brown. Con los cuatro, y sin necesidad de más, tenemos para ir pasando.   20

DOÑA MARCELA

Los cuatro como de la familia. El señor Cicuendez . . .

LUCITA

El señor Cicuendez, el profesor de música en la escuela de

'Artes y Oficios, ¿no es un bellísimo sujeto? En toda Nebreda no hay mejor persona.

DOÑA MARCELA

En toda Nebreda no se puede encontrar un hombre más bueno. Es verdad.

LUCITA

5 Pues, ¿y don Claudio Pisana? ¡Pobrecito capellán de las Agustinas! Menos quehacer que él no podría dar nadie. Está quietecito en su cuarto. Se levanta temprano; dice su misita . . . y luego a pasear y a rezar sus horas.

DOÑA MARCELA

¡Santo varón! ¡Ni que fuera un ángel!

LUCITA

10 ¿Y míster Brown?

DOÑA MARCELA

¿Por qué le llamas siempre míster Brown?

LUCITA

Ése es su nombre artístico, mamá. Él quiere que le llamen siempre así. Se llama Moreno. Pero, ¿crees tú que para un artista de circo, para un clown como él, puede servir el nom-
15 bre de Moreno? Se pone en los carteles míster Brown.

DOÑA MARCELA

¡Ay, ese míster Brown qué extravagante es!

LUCITA

No, mamá, no. Es también un hombre bonísimo. Se quedó aquí cuando se marchó la compañía en la cual trabajaba. El médico le dijo que necesitaba una temporadita de descanso.
20 En Nebreda se quedó reponiéndose. Su familia está en Madrid. Esto es más sano, aire de montaña . . . Y míster Brown, en medio de sus extravangancias, es delicioso.

DOÑA MARCELA

¡Delicioso! Como don Joaquín. Para ti todos son deliciosos.

LUCITA

No, mamá. Conozco a la gente. Sé distinguir de personas.

¿Tú crees que yo no he oído algo de lo que es don Joaquín?

DOÑA MARCELA

Don Joaquín es un misterio, Lucita. Lo tenemos aquí de huésped desde hace un mes y no sabemos quién es. No sabemos ni de dónde ha venido ni cuál es su posición.

LUCITA

No hace nada malo, mamá. Don Joaquín vino un día aquí 5 sin conocer a nadie en Nebreda. Se hospedó en esta casa y aquí está.

DOÑA MARCELA

¿Y qué hace don Joaquín? ¿En qué se ocupa?

LUCITA

En lo que se ocupan muchos españoles: en nada. Pero es una bellísima persona.   10

DOÑA MARCELA

¡Todos bellísimas personas! ¡Qué inocente eres, Lucita!

LUCITA

¿Inocente yo porque digo que don Joaquín es un caballero?

DOÑA MARCELA

Hay algo en ese señor que me intranquiliza. (*Mira al reloj de pared.*) Las ocho. ¡Juliana, Juliana, el chocolate 15 para el señor Cicuendez! Hay algo en don Joaquín que me intranquiliza.

LUCITA

¿Y qué es lo que te intranquiliza, mamá?

DOÑA MARCELA

Me intranquiliza su aire de misterio . . . sus largos paseos solitarios . . .   20

LUCITA

Y el no saber —¡pícara curiosidad!— ni de dónde viene ni cuál es su posición.

DOÑA MARCELA

Su posición creo que no puede ser más modesta. (*Sale Ju-*

liana, llevando en una bandeja un chocolate.) ¿Está bien espesito, Juliana?

JULIANA

Sí, señora, sí.

DOÑA MARCELA

¿Y el pan, está bien frito?

JULIANA

5 Los picatostes, como no se comen más en Nebreda. Gloria da verlos.

LUCITA

Eres un primor para la cocina, Juliana.

JULIANA

Don Joaquín me lo dice muchas veces.

LUCITA

¿Habla contigo don Joaquín?

JULIANA

10 ¡Toma que si habla! ¡Más párrafos echamos los dos! . . .

LUCITA

¿Y qué es lo que te dice don Joaquín?

JULIANA

No hay un hombre tan bueno como ése. Sólo que tiene la manía de creer que es muy rico; él me dice riendo que es millonario, y yo, ¡claro!, me río también.

LUCITA

15 Sí, ésa es la manía que tiene don Joaquín.

DOÑA MARCELA

¿Don Joaquín, millonario? ¡Anda con Dios!

LUCITA

Pero fuera de esa manía, mamá, es un hombre que da gusto hablar con él. ¡Sabe más cosas!

JULIANA

Sí, señora; debe de haber viajado la mar.

LUCITA

Yo tengo la preocupación de que don Joaquín no es lo que parece.

DOÑA MARCELA

¡A ver si resulta un millonario de veras!

LUCITA

Millonario, no; pero es hombre que debe de haber sido rico. A los dos días de estar aquí, ya tenía yo mis sospechas. 5

DOÑA MARCELA

¿A los dos días?

LUCITA

Sí; verás . . . La primera ropa interior que dió a la lavandera, yo la vi. El traje de don Joaquín, ya lo sabes, es muy modesto . . . Y, sin embargo —¡qué cosa tan rara!—, la ropa interior es finísima, de lo mejor, de todo lujo.   10

JULIANA

Es verdad, señorita. Yo me he fijado también.

DOÑA MARCELA

¡Que se está enfriando el chocolate! Anda y vuelve si quieres. (*Mutis Juliana.*)

LUCITA

Y no es eso sólo de la ropa blanca; es que don Joaquín tiene unos modales como de persona muy distinguida.   15

DOÑA MARCELA

Hay que ver, Lucita, a don Joaquín cuando manda una cosa y tardan un minuto en hacerla. ¡Cualquiera diría que ese hombre es un emperador!

LUCITA

Son rarezas de los hombres, mamá. En cambio, cuando se pone a hablar, a contar sus cosas, no hay un hombre más 20 fino.

DOÑA MARCELA

Yo no sé . . . no sé . . . Me inquieta el tal don Joaquín. (*Vuelve Juliana.*)

JULIANA

No tiene usted razón, señora, no. Don Joaquín es campechano, bonísimo.

DOÑA MARCELA

Campechano . . . y variable . . . y extravagante. ¡Jesús y qué de disparates se le ocurren! Yo creo que ni míster
5 Brown cuando trabaja en el circo es más extravagante que él.

LUCITA

Vamos, vamos, mamá. Extravagante, sí; pero, ¡qué buen corazón!

JULIANA

¿Y si luego resultara que don Joaquín era rico?

DOÑA MARCELA

¿Rico don Joaquín y viviendo aquí? ¿Tú crees que un
10 hombre rico va a tener el capricho de vivir como un pobre?

JULIANA

Puede que sea rico don Joaquín; pero lo que es español, no es.

LUCITA

Pues el apellido bien español es: Don Joaquín González.

JULIANA

El apellido será español; pero, ¿qué quiere usted que le
15 diga, señorita? Yo, cada vez que le oigo hablar, me parece que oigo hablar a un extranjero que hubiera nacido en España.

LUCITA

La verdad es ésa, sí; habla con un acento . . . No es que hable mal el castellano; pero parece que no es un español
20 quien lo habla.

JULIANA

¿Y qué es eso que dice de cuando en cuando . . . unas palabras raras?

DOÑA MARCELA

¡Ah, es verdad! Dice algo así como *olé chipén.*

LUCITA

¡Qué disparate! ¡*Olé chipén!* Lo que dice (y a mí me lo ha explicado él mismo) es *Old Spain;* que quiere decir *Vieja España.*

DOÑA MARCELA

¿Y por qué dice eso de vieja España?

LUCITA

¡Vaya usted a saber! Rarezas. Frases que dicen los hombres ⁵ que han corrido mundo.

JULIANA

Y más vale que diga eso que no otra cosa.

LUCITA

¡Y qué bien le imita míster Brown! (*Imitándole.*) "Doña Marcela . . . Lucita . . . Juliana . . . ¡Oh Juliana! . . . pintoresco, pintoresco . . . mucho color, mucho color . . . ¹⁰ ¡*Old Spain!*"

DOÑA MARCELA

Juliana, la tarea de la casa te espera.

JULIANA

Voy, señora. (*Mutis Juliana. Y sale don Claudio.*)

DON CLAUDIO

¡Buenos días nos dé Dios! ¡Santos y buenos días!

DOÑA MARCELA

Buenos días, don Claudio.   ¹⁵

LUCITA

Buenos días.

DON CLAUDIO

¡Hay alguna novedad? ¿Ocurre algo por el mundo?

DOÑA MARCELA

Nada, don Claudio. Ninguna novedad.

DON CLAUDIO

Hoy lo mismo que ayer. Y mañana lo mismo que hoy. ¿No se dice así? ¿No ha dicho eso algún clásico? Y así vamos, ²⁰ poco a poco, caminando, caminando . . .

LUCITA

Y más vale, don Claudio, que caminemos poco a poco y
no de prisa.

DON CLAUDIO

Es verdad. No debemos tener prisa para llegar adonde, de
todos modos, hemos de llegar. Poquito a poco . . . Y lo que
5 hace falta es que podamos ir pasando. ¡Unos tanto y otros
tan poco!

LUCITA

Ésa es la vida, don Claudio.

DON CLAUDIO

No, si yo no pido torres ni montones. Yo siempre digo:
«Señor, con unas cuantas pesetillas, pocas, muy pocas, para
10 tapar las goteras de la iglesia de las Agustinas y que no se
venga abajo la bóveda . . . con unas cuantas pesetillas, me
contentaba.» Y esas pesetillas no vienen.

DOÑA MARCELA

La canción de siempre, don Claudio.

DON CLAUDIO

Sí, mi canción de todos los días, y las pesetillas, dos o tres
15 mil, no vienen. Y la bóveda de la iglesia se hunde.

DOÑA MARCELA

¿No dicen que don Joaquín es millonario? Que apronte
él esas pesetillas.

DON CLAUDIO

¡Tate! Ya ha salido el dichoso don Joaquín. Era milagro.
¡Poco que hablaron de él anoche en la rebotica de Críspulo
20 Pérez!

LUCITA

¿Que hablaron de don Joaquín?

DON CLAUDIO

Lo menos una hora. Bueno se está poniendo el pueblo. Que
si don Joaquín es un tal; que si don Joaquín es un cual . . .

Dios me libre de murmuraciones y, sobre todo, que don Joaquín es un personaje de cuenta.

DOÑA MARCELA

¿Usted también? ¡Pero cómo anda usted de la mollera, don Claudio!

DON CLAUDIO

¿Cómo quiere usted que ande, doña Marcela? El mundo 5 está de tal modo, que ya no me extrañaría el mayor disparate . . . Pues sí; anoche contaban . . . ¡Qué les voy a decir a ustedes! En fin, corren por ahí tales rumores . . . El pueblo está soliviantado.

LUCITA

¿Cómo, don Claudio? Pero, ¿es que ahora va a resultar que 10 don Joaquín va a promover una revolución en Nebreda?

DON CLAUDIO

Lo que fuere sonará. Doña Marcela, Lucita: me voy a mi misa de las Agustinas. No murmuremos nunca del prójimo. Todos somos hermanos. ¡Ay, si yo tuviera esas pesetillas para la bóveda de la iglesia! (*Mutis don Claudio.*) 15

DOÑA MARCELA

¡No, si ya te decía yo, Lucita, que este don Joaquín nos va a traer alguna complicación! ¡Señor, si no puede ser! Un hombre que está diciendo a cada paso eso de *olé chipén,* no puede ser cosa buena.

LUCITA

¡Pero, mamá, por Dios! Son aprensiones tuyas; no hay 20 motivo para la menor alarma.

DOÑA MARCELA

Ya ves lo que van diciendo por el pueblo; que si don Joaquín esto, que si don Joaquín lo otro.

LUCITA

Dirán lo que quieran; el hecho es que nosotras no tenemos motivos para sospechar de nada; es decir, nada malo, de 25 don Joaquín. A lo mejor puede que resulte que es multimillonario.

DOÑA MARCELA

¿Tú también? ¡Dale con los millones!

LUCITA

Quien dice millonario dice hombre rico . . . que tiene
5 tierras, o lo que sea, en alguna parte.

DOÑA MARCELA

¡Como no tenga! (*Entra Cicuendez.*)

CICUENDEZ

¡Paz y armonía!

DOÑA MARCELA

Buenos días, señor Cicuendez.

CICUENDEZ

Paz y armonía y, desde luego, melodía también. ¿Hay
10 alguna novedad?

DOÑA MARCELA

Ninguna, señor Cicuendez.

CICUENDEZ

Ninguna, ¿eh?

DOÑA MARCELA

Ninguna.

CICUENDEZ

¿Conque ninguna?

DOÑA MARCELA

15 Absolutamente ninguna.

CICUENDEZ

¿De veras que ninguna?

DOÑA MARCELA

De veras, señor Cicuendez.

CICUENDEZ

Pues . . . háganme el favor de sentarse. No estén de pie;
siéntense; no quiero que se caigan de espaldas cuando les

dé el notición. (*Se sientan alarmadas, nerviosas.*) ¿Con que no hay ninguna novedad, eh? Vaya, vaya. (*Pausa. Y de pronto, dando una gran voz:*) ¡Don Joaquín! (*De un salto se ponen de pie doña Marcela y Lucita.*)

DOÑA MARCELA

¡Jesús!

LUCITA

¡Qué hombre, este señor Cicuendez!   5

CICUENDEZ

¿Conque ninguna novedad? Siéntense; háganme el favor. (*Otra pausa y otra gran voz.*) ¡Don Joaquín! (*Otro salto nervioso de las dos mujeres.*)

DOÑA MARCELA

¡Pero, señor Cicuendez!

LUCITA

¡Pero, por Dios!

DOÑA MARCELA

¡Estoy asustada!   10

LUCITA

¡Estoy temblando!

CICUENDEZ

Bueno, bueno, doña Marcela, Lucita. ¿Con que no hay ninguna novedad? (*Nueva pausa y nuevo grito.*) ¡Don Joaquín!

DOÑA MARCELA

¿Acabará usted, hombre?   15

LUCITA

No es cosa de broma.

CICUENDEZ

Sí, señoras mías, conmigo no hay misterios. Lo sé todo; lo adivino todo.

LUCITA

Pero, ¿qué es lo que sabe usted, hombre de Dios?

CICUENDEZ

¡Qué tumulto había anoche, a última hora, en el saloncillo del Casino donde se reunen los señores graves! Perico, el mozo que sirve en el saloncillo, se desgañitaba gritando: «¡Don Joaquín es un farsante! ¡Don Joaquín es un far-
5 sante!»

DOÑA MARCELA

Silencio. Puede estar ahí.

LUCITA

No, no está; ha salido a primera hora.

CICUENDEZ

Sí; todo el pueblo está alborotado. Unos a favor de don Joaquín y otros en contra de don Joaquín.

LUCITA

10 ¿Y usted qué dice, señor Cicuendez?

CICUENDEZ

Lo que digo yo . . .

LUCITA

Sí; ¿usted cree que don Joaquín? . . .

CICUENDEZ

Yo tengo datos ciertos, seguros. Anoche lo vieron.

LUCITA

¿A quién vieron?

CICUENDEZ

15 A don Joaquín. Lo vieron; ya no es posible dudar; lo vieron.

LUCITA

Pero, ¿dónde lo vieron? ¿Qué es lo que vieron?

CICUENDEZ

Me lo contó todo después, en el Casino, Cirilo Parra. ¿Conocen ustedes a Cirilo Parra? Cirilo Parra estaba anoche,
20 a las nueve, hablando con su novia. La novia de Cirilo vive en la calle de Trajineros, esquina a la del Reloj. Estaba hablando Cirilo con su novia, a las nueve, y de pronto . . .

DOÑA MARCELA

¿Qué?

LUCITA

¿Qué sucedió?

CICUENDEZ

(*Dando una gran voz.*) ¡Don Joaquín!

DOÑA MARCELA

¡Ave María Purísima!

LUCITA

¿Y qué importa que don Joaquín estuviera allí, mamá? 5

CICUENDEZ

Don Joaquín estaba allí esperando a alguien.

LUCITA

¿A una mujer?

DOÑA MARCELA

¡Don Joaquín . . . Tenorio!

CICUENDEZ

No, señoras mías; esperaba . . . lo que vino después. Y, vino un magnífico automóvil por la carretera de Madrid. 10 Magnífico de veras. Me lo ha dicho Cirilo. Y del automóvil se apeó un señor. Un señor elegante, elegantísimo . . . Y le dió un abrazo a don Joaquín. Y le entregó una cosa.

DOÑA MARCELA

¿Una bomba?

LUCITA

¡Don Joaquín conspirador! 15

CICUENDEZ

¡Vamos, ahora tomen ustedes a broma lo que les he dicho! ¡No se puede tratar con el sexo débil! Son ustedes incorregibles.

LUCITA

Es una comedia todo eso.

DOÑA MARCELA

Una fantasía. 20

CICUENDEZ

¡Fantasía, no! . . . ¡Don Joaquín! Y que tuviera yo sus millones.

DOÑA MARCELA

¡Qué locura!

LUCITA

Señor Cicuendez, está usted guillado.

CICUENDEZ

5   Lo primero que haría yo sería reparar la escuela de Artes y Oficios, que se está hundiendo. Los pobres muchachos se ahogan en verano de calor y tiritan en invierno de frío. ¡Qué lástima no tener yo unos miles de pesetas!

DOÑA MARCELA

La tonadilla de todos los días.

CICUENDEZ

10   Armonía, paz . . . y, desde luego, melodía. (*Se marcha. Breve pausa y asoma después la cabeza y da otra voz.*) ¡Don Joaquín!

DOÑA MARCELA

¡Jesús!

LUCITA

¡Ay!

DOÑA MARCELA

15   Pero, ¿has visto, Lucita?

LUCITA

Sí, mamá, ya veo que . . . No sé lo que va a pasar aquí.

DOÑA MARCELA

Yo ya voy dudando.

LUCITA

¿Quién será don Joaquín?

DOÑA MARCELA

¿Un conspirador?

LUCITA

20   ¿Un apache disfrazado?

DOÑA MARCELA

¡Qué horror! (*Entra míster Brown. Imita a don Joaquín. Habla con un ligero acento extranjero. Pone su sombrero en la punta del bastón, le da vueltas en el aire, lo arroja a lo alto y lo recoge. Después baila un poco en medio de la escena.*)

MÍSTER BROWN

«Doña Marcela, Lucita . . . Vengo de dar mi paseo matinal . . . Encantado, encantado . . . Pintoresco, pintoresco . . . Mucho color . . . mucho color; *Old Spain.*» (*Pausa.*) Y ahora, doña Marcela, Lucita, no como don Joa- 5
quín, sino como míster Brown, les digo a ustedes: ¡Qué publiquito! El pueblo está que arde. ¡Cómo estaba anoche el saloncillo del casino! Imponente, imponente.

DOÑA MARCELA

Pero ¿usted también cree que don Joaquín es un millonario?   10

MÍSTER BROWN

Si fuera millonario, ¿estaría aquí? Pero, en fin, yo no creo ni dejo de creer. Tengo la obligación, por mi respetable cargo, de creer en las extravagancias. ¿Quién es don Joaquín? ¿De dónde viene don Joaquín? ¿Es rico o es pobre don Joaquín? Esto es lo que a estas horas pregunta todo el pueblo. 15
La cosa está que arde. En fin, señoras mías, voy a mi cuarto a ponerme mi uniforme. Yo no puedo estar un solo día sin ponerme mi querido uniforme, mi traje de faena. ¡Ay, cuántas ganas tengo de volver a trabajar en el circo! Y mi mujer y mis chicos que me están esperando allí en Madrid. Llevo aquí 20
cerca de mes y medio . . . He visto al médico en la calle ahora mismo. Me ha dicho que estoy ya bien. Sí; estoy fuerte, robusto . . . (*Volviendo a imitar a don Joaquín.*) «Doña Marcela, Lucita: pintoresco . . . pintoresco . . . mucho color, mucho color . . . *Old Spain.*» (*Desaparece.*)   25

DOÑA MARCELA

Todos locos en esta casa.

LUCITA

En esta casa y en el pueblo.

DOÑA MARCELA

Ea, Lucita, al trabajo. Voy a trajinar un poco por ahí
dentro. (*Se marcha. Lucita coge una labor y se sienta a trabajar junto al balcón. Pausa. Aparece don Joaquín y hace lo
mismo que antes hacía míster Brown. Cuelga el sombrero
en el extremo del bastón, lo lanza al aire y lo recoge. Bailotea
después en el centro de la sala.*)

DON JOAQUÍN

Lucita, vengo de dar mi paseo por el campo. Mi paseo
5 de todas las mañanas . . . Pintoresco . . . pintoresco . . .
mucho color . . . mucho color . . . *Old Spain* . . . ¿Qué
hace usted tan sosegada, tan espiritual, tan simpática?

LUCITA

Gracias, don Joaquín por sus piropos. Trabajo como
siempre.

DON JOAQUÍN

10 ¡Oh, el trabajo es una gran virtud . . . para los demás!

LUCITA

¿Usted no trabaja nunca, don Joaquín?

DON JOAQUÍN

Yo soy multimillonario. ¿Para qué voy a trabajar?

LUCITA

Si es usted multimillonario, ¿cómo no se le conoce?

DON JOAQUÍN

¿En qué se me va a conocer, Lucita? (*Bailotea otra vez
15 en el centro de la escena.*) ¿Usted no había visto nunca bailar
a los multimillonarios? ¡Oh, gran cosa! Pintoresco . . . pintoresco . . . En España, ¿no bailan los multimillonarios?
¿Son graves todos, tiesos, solemnes? ¿Son serios? ¿Es preciso,
Lucita, que un multimillonario sea una persona seria? ¡Oh,
20 España, vieja España! *¡Old Spain!*

LUCITA

¿No es usted español, don Joaquín?

DON JOAQUÍN

Español castizo. Español hasta las cachas. ¿No se dice así?

LUCITA

No es usted serio, don Joaquín.

DON JOAQUÍN

¿Cómo? Pero, ¿usted se había figurado que yo era un hombre serio? ¡Qué horror! Vamos a ver, Lucita, un momento de confidencias: ¿en qué piensa usted ahora? 5

LUCITA

Pienso en que dicen por ahí muchas cosas.

DON JOAQUÍN

¿Qué cosas dicen por ahí?

LUCITA

¿No se incomodará usted?

DON JOAQUÍN

¿Puedo yo incomodarme nunca? 10

LUCITA

Dicen que le han visto a usted en la Alameda vieja.

DON JOAQUÍN

¿Y en la Alameda vieja, qué hacía yo?

LUCITA

Pasaba por allí también cierta personilla graciosa . . . Vamos, don Joaquín, cierta personilla como para un millonario. 15

DON JOAQUÍN

¿Quién era esa personilla graciosa?

LUCITA

La hija del marqués de Cilleros; la condesita de La Llana.

DON JOAQUÍN

¡Oh, Lucita, es verdad! La condesita de La Llana . . .

LUCITA

¿No le gusta a usted?

DON JOAQUÍN

¡Verdaderamente preciosa!

LUCITA

¿Preciosa de veras?

DON JOAQUÍN

¡Old Spain! (*Don Joaquín baila otro poco en medio de la sala, después se sienta en una silla e inclina el cuerpo y apoya la cabeza en la mano.*) «Morir . . . dormir . . .
5 ¿Dormir? ¡Quién sabe! Soñar . . . Sí; ése es el problema. En ese dormir ¿qué sueños se podrán tener?» (*Pausa ligera. Don Joaquín toma notas en un cuadernito y luego arranca las hojas y las guarda en la cartera.*)

LUCITA

¿Se aburre usted, don Joaquín?

DON JOAQUÍN

No.

LUCITA

¿No le gusta a usted Nebreda?

DON JOAQUÍN

10 No.

LUCITA

¿Y la catedral?

DON JOAQUÍN

No.

LUCITA

¿Y San Damián?

DON JOAQUÍN

No.

LUCITA

15 ¿Y el puente romano?

DON JOAQUÍN

No.

LUCITA

¿Y el Ayuntamiento?

DON JOAQUÍN

No.

LUCITA

¡Jesús, qué malhumorado está hoy don Joaquín!

DON JOAQUÍN

«Dormir . . . soñar . . .»

LUCITA

¿Qué le pasa a usted, don Joaquín?

DON JOAQUÍN

Me marcho.   5

LUCITA

¿Se va usted a pasear por las calles?

DON JOAQUÍN

Me voy a Constantinopla, a la India, a Oceanía . . .

LUCITA

¡Pues no se va usted poco lejos, don Joaquín!

DON JOAQUÍN

Me marcho.

LUCITA

¿No quiere estar usted más en Nebreda?   10

DON JOAQUÍN

No.

LUCITA

¿No le gusta a usted tampoco el palacio del marqués de
Cilleros?

DON JOAQUÍN

¿Qué decía usted, Lucita?

LUCITA

Que si no le gusta a usted tampoco el palacio del marqués   15
de Cilleros.

DON JOAQUÍN

¿Ha vuelto ya el marqués de su viaje?

LUCITA

Hace dos días.

DON JOAQUÍN

He de ir a ver ese palacio.

LUCITA

Debe usted ir. Es lo más bonito de Nebreda.

DON JOAQUÍN

Me interesa mucho el palacio.

LUCITA

¿El palacio nada más, don Joaquín?

DON JOAQUÍN

5 Perdone usted, Lucita. ¿No va usted el domingo al baile del casino? Sí; ya sé que va usted. Y yo quiero que luzca usted en el baile un regalito mío . . . Un regalito modesto . . . , insignificante . . . ¿Oye usted, Lucita? Insignificante . . .

LUCITA

10 Muy amable don Joaquín.

DON JOAQUÍN

Y yo quiero que luzca usted, sí, este modesto collar de perlas. (*Le entrega a Lucita un collar de perlas.*)

LUCITA

¡Qué precioso collar, don Joaquín! ¡Qué precioso! Muchas gracias, muchas gracias. Precioso, precioso . . . ¡Qué 15 bien me está! Voy corriendo a enseñárselo a mamá. Gracias, mil gracias . . . ¡Qué amable, don Joaquín! (*Desaparece. Don Joaquín se sienta en una silla.*)

DON JOAQUÍN

«Mirir . . . dormir . . . ¿Dormir? . . . ¡Quién sabe! Soñar . . .» (*Sale míster Brown vestido de payaso.*)

MÍSTER BROWN

20 ¡Turidu!

DON JOAQUÍN

¡Old Spain! (*Se abrazan canturreando. Don Joaquín le pone su sombrero a míster Brown; éste le pone su montera a don Joaquín. Don Joaquín le pone la montera a míster Brown*

*y éste su sombrero a don Joaquín. Luego se sienta cada uno
en el respaldo de una silla, frente a frente, con los pies en el
asiento.)* Me aburro, míster Brown.

MÍSTER BROWN

Y yo también, don Joaquín.

DON JOAQUÍN

La vida es triste.

MÍSTER BROWN

Donde no hay extravagancias, no hay alegría.

DON JOAQUÍN

La vida sin extravagancias es despreciable.   5

MÍSTER BROWN

¡Quién es usted, don Joaquín?

DON JOAQUÍN

Yo soy un multimillonario, míster Brown.

MÍSTER BROWN

¿Cuántos millones tiene usted, don Joaquín?

DON JOAQUÍN

Tengo treinta millones de dólares, míster Brown.

MÍSTER BROWN

Présteme usted dos pesetas, don Joaquín.   10

DON JOAQUÍN

¡*Old Spain,* míster Brown!

MÍSTER BROWN

¡Turidu, don Joaquín!

DON JOAQUÍN

¿Qué haría usted si fuese millonario, míster Brown?

MÍSTER BROWN

Reírme de la humanidad, don Joaquín.

DON JOAQUÍN

¿Y para qué se quiere reír de la humanidad?   15

MÍSTER BROWN

Para no verme obligado a llorar.

DON JOAQUÍN

Y sin dinero, ¿qué le sucede a usted, míster Brown?

MÍSTER BROWN

Sin dinero me aburro, don Joaquín.

DON JOAQUÍN

¿Cree usted que los que tienen dinero no se aburren?

MÍSTER BROWN

Se aburrirán, si se aburren, de otra manera.

DON JOAQUÍN

5   Aburrirse con dinero es más fácil que aburrirse sin él.

MÍSTER BROWN

Prefiero aburrirme con la cartera llena que con la cartera
vacía.

DON JOAQUÍN

Yo voy a hacer la felicidad de usted, míster Brown.

MÍSTER BROWN

¡Qué gracioso está el niño! Recuerdos a su tía, don
10 Joaquín.

DON JOAQUÍN

Gracias, de su parte, míster Brown. ¿Cuánto necesita usted
para ser feliz?

MÍSTER BROWN

Un poco más de lo que necesito para ser desgraciado.

DON JOAQUÍN

¿Quiere usted comprar una casita en el campo para re-
15 tirarse cuando se canse de trabajar en el circo?

MÍSTER BROWN

¡Olé los hombrecitos, don Joaquín!

DON JOAQUÍN

¿Tendrá usted bastante con cien mil duros?

MÍSTER BROWN

Añada usted una pecera con todos sus habitantes, don
Joaquín.

DON JOAQUÍN

¿Para qué míster Brown?

MÍSTER BROWN

Para que me ría yo de los peces de colores.

DON JOAQUÍN

¿Tiene usted el chaleco blanco de mi tío?

MÍSTER BROWN

No; pero tengo el peine de concha de mi sobrina.

DON JOAQUÍN

¡Old Spain!   5

MÍSTER BROWN

¡Turidu!

DON JOAQUÍN

Pintoresco . . . pintoresco. (*Se suben a las sillas que
hay a los lados de la mesa y se sientan en los respaldos.*)

MÍSTER BROWN

¿Quién es usted, don Joaquín? ¡Diablo!

DON JOAQUÍN

Soy un multimillonario que se aburre. ¡Caramba!

MÍSTER BROWN

¿Puedo yo aliviar su aburrimiento, don Joaquín?   10

DON JOAQUÍN

¿Quiere ser usted mi secretario general, míster Brown?

MÍSTER BROWN

Tengo una viva simpatía por usted, don Joaquín.

DON JOAQUÍN

Y yo le profeso un sincero afecto, míster Brown.

MÍSTER BROWN

¿De veras, don Joaquín?

DON JOAQUÍN

De veras, míster Brown. (*Se levantan y se estrechan la*   15
mano; un pie en la silla y otro en la mesa.)

MÍSTER BROWN

Venga esa mano, don Joaquín.

DON JOAQUÍN

Ahí va mi mano leal, míster Brown.

MÍSTER BROWN

¡Turidu!

DON JOAQUÍN

¡Old Spain!

MÍSTER BROWN

Tra, la, la. . . .

DON JOAQUÍN

5   Tra, la, la . . . (*Desaparecen bailoteando y haciendo
visajes cómicos, cada uno por una puerta. Ligera pausa. Entra don Claudio, presuroso, jadeante, pálido.*)

DON CLAUDIO

¡Socorro! ¡Socorro! ¡Agua, que me ahogo! (*Salen todos
menos don Joaquín.*)

DOÑA MARCELA

¿Qué pasa?

LUCITA

¿Qué ocurre?

DON CLAUDIO

¡Agua, agua! (*Se deja caer desplomado en una silla.*)

DOÑA MARCELA

10   Pero, ¿qué tiene usted, don Claudio?

LUCITA

¿Qué le ocurre a don Claudio?

MÍSTER BROWN

¡Señor don Claudio!

DON CLAUDIO

¡Las pesetas, las pesetas! . . .

DOÑA MARCELLA

¿Le han robado a usted?

DON CLAUDIO

15   No, no. ¡Que tengo las pesetas! Un sueño todo; parece un

sueño. ¡Agua, agua! (*Le trae Juliana un vaso de agua y bebe.*)

LUCITA

Hable usted, don Claudio.

DON CLAUDIO

¡Ay, qué felicidad! ¡Sí; aquí tengo ya las pesetas! ¡Y muchas más! ¡Y muchas más!

DOÑA MARCELLA

Cálmese, cálmese, don Claudio.   5

LUCITA

Explíquenos usted.

MÍSTER BROWN

¡Las pesetas!

DON CLAUDIO

¡Sí; las pesetas!

DOÑA MARCELLA

Hable usted; díganos lo que ha sucedido.

DON CLAUDIO

Yo les diré. No lo puedo creer . . . Estaba yo en la 10
puerta de la iglesia; me encontraba parado un momento en
el umbral; en esto llega un señor, un señor elegante, se quita
el sombrero y me dice: «¿Es usted don Claudio Pisana?»
«Servidor de usted,» le contesto. Entonces él echa mano a la
cartera, y me dice: «Tengo para usted un encarguito.» Y me 15
alarga un papel. Yo lo cojo, temblando . . . El caballero,
me dice: «Lea usted, a ver si está bien.» Yo, leo . . . ¡Y era
un cheque, a mi nombre, de cincuenta mil pesetas!

MÍSTER BROWN

¡Zambomba!

LUCITA

¡Diablo!   20

DOÑA MARCELLA

¡Qué barbaridad!

DON CLAUDIO

Eso dije yo: «¡Qué barbaridad!» Es decir, no dije nada. Se me fué la luz de los ojos; me arrimé a la puerta, y no sé lo que pasó . . . Cuando me recobré ya había allí mucha gente.

MÍSTER BROWN

5   ¿Y el cheque?

DON CLAUDIO

El cheque está en mi bolsillo. Aquí lo tengo. Voy a llevarlo a un Banco. ¡Cincuenta mil pesetas! ¡Voy a poner nueva la iglesia! Me marcho corriendo, corriendo. . . . (*Desaparece.*)

DOÑA MARCELA

¡Qué raro!

JULIANA

10   ¡Qué suerte ha tenido el señor!

LUCITA

¡No he visto un misterio como éste!

MÍSTER BROWN

Curioso, pintoresco . . . pintoresco . . .

DOÑA MARCELA

¡Cincuenta mil pesetas y a su nombre!

MÍSTER BROWN

¿No podré desmayarme yo también? (*Aparece Cicuendez. Entra con la cabeza baja, mohíno; da unas vueltas en silencio por la escena. Todos le miran atentamente.*)

DOÑA MARCELA

15   ¿Qué le pasa a usted, señor Cicuendez?

CICUENDEZ

Nada; no me pasa nada.

MÍSTER BROWN

¿Por qué se abrocha usted la americana, señor Cicuendez?

CICUENDEZ

¿Hay por ahí alguien? ¿Saben ustedes si hay cerca guardia civil?

LUCITA

No, no hay nadie. ¿Tiene usted miedo?

CICUENDEZ

(*Entra en su cuarto. Pero sale al momento.*) La cerradura de mi armario está un poco floja, doña Marcela.

DOÑA MARCELA

¿Lo nota usted ahora? Parece que tiene usted temor de algo.   5

LUCITA

¿Qué le sucederá al señor Cicuendez?

CICUENDEZ

(*Dando una gran voz.*) ¡Don Joaquín!

MÍSTER BROWN

Pero explíquese usted, amigo Cicuendez.

DOÑA MARCELA

A usted le sucede algo raro.

JULIANA

Sí; al señor Cicuendez le pasa algo.   10

LUCITA

¡Vamos, señor Cicuendez! Díganos usted lo que le pasa.

CICUENDEZ

¡Ay, ahora soy yo el que me siento para no desmayarme! ¡Cincuenta mil pesetas!

DOÑA MARCELA

¿Usted también?

LUCITA

¿A usted otras cincuenta mil pesetas?

CICUENDEZ

Sí, señoras mías. ¡Cincuenta mil pesetas!   15

DOÑA MARCELA

¡Qué raro es todo esto!

LUCITA

¡Qué misterioso!

CICUENDEZ

Estaba yo en la escuela de Artes y Oficios; entra un señor
en mi clase, y me dice: «Perdone usted. ¿Don Federico
Cicuendez?» «Servidor,» le digo yo. Echa mano a la cartera
el caballero, y añade: «Tengo para usted un encarguito.» Y
5 me alarga un cheque de cincuenta mil pesetas a mi nombre.

DOÑA MARCELA

¡Qué barbaridad!

LUCITA

¡Qué fortuna!

DOÑA MARCELA

¡Lleve usted esas cincuenta mil pesetas a un Banco, señor
Cicuendez!

CICUENDEZ

10 ¿A un Banco? ¡No; nunca! ¡Qué horror!

MÍSTER BROWN

¡Señores, el fin del mundo! ¿Dónde está ese tío de los
cheques? ¡Que me lo traigan!

LUCITA

¡Vamos a llamar a don Joaquín! (*Le llaman. Sale don
Joaquín bailoteando y haciendo movimientos cómicos.*)

DON JOAQUÍN

Míster Brown: *¡Old Spain!*

MÍSTER BROWN

15 Don Joaquín: ¡Turidu!

DON JOAQUÍN

¡Old Spain!

MÍSTER BROWN

¡Turidu! (*Los dos se ponen a bailar en el centro de la
escena. Gritos, risas.*)

ACTO SEGUNDO

Sala en casa del marqués de Cilleros. Un retrato de caballero antiguo con armadura. Entra DON JOAQUÍN, MÍSTER BROWN *y* ÁGUEDA.

ÁGUEDA

Pasen ustedes aquí y tengan la bondad de esperar. El señor marqués ha salido y no tardará en volver.

DON JOAQUÍN

¡Excelente retrato!

ÁGUEDA

Es el retrato del fundador de la familia. El primer marqués de Cilleros. ¡Quien ha visto esta casa antes y la ve ahora!   5

DON JOAQUÍN

Lleva una magnífica armadura.

MÍSTER BROWN

A propósito para trabajar en el trapecio.

ÁGUEDA

¿No han estado ustedes nunca en la casa? Arriba, en el salón, hay cuatro o seis armaduras como ésa. El salón hace tiempo que está cerrado. ¡Qué tiempos aquellos cuando vivía   10 la señora!

MÍSTER BROWN

¿Qué tiempos eran aquéllos, buena mujer?

ÁGUEDA

Me llamo Águeda.

DON JOAQUÍN

¿Qué tiempos eran aquéllos, Águeda?

39

ÁGUEDA

La casa estaba entonces como un ascua de oro. Desde que murió la señora, ya todo se acabó. El señor no quiere ver a nadie, ni la señorita tampoco. La señorita es un vivo retrato de su padre.

MÍSTER BROWN

5   ¿La condesita de la Llana?

ÁGUEDA

Sí; el señor la ha cedido ese título, el de condesa de la Llana, a la señorita Pepita.

DON JOAQUÍN

¿No habla con nadie el señor?

ÁGUEDA

Una vida más retirada no la lleva nadie. ¿No conocen 10 ustedes este palacio? Es el más hermoso de toda Nebreda. Y ya ven ustedes . . . La familia vive en un rinconcito de este palacio tan grande. Esta sala, con un comedorcito y dos o tres habitaciones más, es todo lo que utilizan.

MÍSTER BROWN

¡Un gran señor que no quiere vivir en su gran palacio!

DON JOAQUÍN

15   Es verdaderamente curioso este señor. *¡Old Spain!*

MÍSTER BROWN

Ya siente usted por él verdadera simpatía, don Joaquín.

ÁGUEDA

¡Cuántas salas cerradas! ¿Y el patio? ¿Han visto ustedes el patio? Ya lo verán ustedes todo. El señor tendrá mucho gusto en enseñarles a ustedes el palacio. Las armaduras como 20 ésa del retrato están en el salón de arriba, con muchos cuadros y tapices. ¡Ay, qué tiempos aquellos en que vivía la señora! Ya hace seis años que murió. Y desde entonces no ha habido alegría en esta casa . . . Esperen ustedes un momento. El señor no tardará en volver. (*Hace mutis Águeda.*)

MÍSTER BROWN

¿Ha visto usted, don Joaquín?

DON JOAQUÍN

Sí, ya estoy viendo, míster Brown. (*Míster Brown se sienta en el respaldo de la silla con los pies en el asiento.*)

MÍSTER BROWN

¿Cree usted que no hay extravagancias en la casa de un viejo caballero español?

DON JOAQUÍN

Parece que no debía haberlas.   5

MÍSTER BROWN

Pues debemos esperarlas.

DON JOAQUÍN

Pues que vengan en hora buena. (*Aparece la Condesita.*)

LA CONDESITA

(*A míster Brown.*) No; no se moleste usted; no baje de la silla.

MÍSTER BROWN

Señorita, perdone usted.   10

LA CONDESITA

No, si ya le conozco a usted. Le he aplaudido mucho en el circo.

MÍSTER BROWN

Muchas gracias, señorita.

DON JOAQUÍN

No quisiéramos molestar.

LA CONDESITA

¿Esperan ustedes a mi padre? Sí, me lo ha dicho Águeda.   15
Mi padre no tardará en volver.

DON JOAQUÍN

No pensamos molestarle más que un momento.

LA CONDESITA

No molestarán ustedes nada. (*Se sientan.*) Mi padre tendrá mucho gusto en conversar con ustedes.

DON JOAQUÍN

Muchas gracias, señorita. Es usted muy amable.

LA CONDESITA

Y perdonen ustedes que haya entrado. . . . He querido que
no les fuera a ustedes muy pesada la espera.

DON JOAQUÍN

La espera, que no tenía nada de pesada, es desde este mo-
5 mento deliciosa.

MÍSTER BROWN

Ahora ya podríamos esperar mucho rato.

DON JOAQUÍN

Media hora, una hora . . .

LA CONDESITA

¡Muy amables!

DON JOAQUÍN

La amabilidad es la de este país encantador.

LA CONDESITA

10 ¿No es usted de esta tierra?

DON JOAQUÍN

En espíritu, sí.

LA CONDESITA

¿No es usted acaso español?

DON JOAQUÍN

Lo soy con el corazón.

MÍSTER BROWN

Señorita, ¿se puede gritar viva España?

LA CONDESITA

15 ¿Quién dice que no? (*Se ponen de pie míster Brown y don
Joaquín.*)

MÍSTER BROWN

¡Viva España!

DON JOAQUÍN

¡*Old Spain!*

LA CONDESITA

España es un país hermoso, ¿verdad?

DON JOAQUÍN

Son bonitos los campos y las ciudades.

LA CONDESITA

Pero usted no parece de aquí . . .

DON JOAQUÍN

Estoy en el pueblo hace dos meses.

LA CONDESITA

¿Ha visto usted ya toda Nebreda?   5

DON JOAQUÍN

La veo un poquito cada día. La voy descubriendo a
retazos.

LA CONDESITA

¿Ya habrá visto usted la Catedral?

DON JOAQUÍN

Sí, la Catedral es muy hermosa; pero hay otras muchas
iglesias bonitas. Como, por ejemplo, San Damián, el Cristo   10
del Arroyo, San Basilio, las Agustinas. . . .

LA CONDESITA

Todas esas iglesias son preciosas.

DON JOAQUÍN

Por las mañanas voy un rato a las iglesias. Sobre todo, a
las iglesias de monjas.

LA CONDESITA

¿Y por las tardes? ¡Ah, perdón! ¡Qué indiscreta soy!   15

DON JOAQUÍN

No, no; yo tengo mucho gusto. Por las tardes leo un
poquito y salgo al campo.

LA CONDESITA

La vida aquí es un poco aburrida. Acostumbrado al
movimiento de una gran ciudad . . .

DON JOAQUÍN

¿Usted sabe que estoy acostumbrado al movimiento de una gran ciudad?

LA CONDESITA

Digo, lo supongo; sólo los que vienen de las grandes ciudades encuentran todo su encanto a la vida de los pue-
5 blos.

MÍSTER BROWN

¡Ah, naturalmente, naturalmente, señorita!

LA CONDESITA

No sé si he dicho un disparate.

DON JOAQUÍN

No, disparate no. En efecto; para gustar de la paz de los pueblos es preciso venir de las grandes ciudades.

LA CONDESITA

10 Pero la vida en estos pueblos es aburrida, ¿verdad?

DON JOAQUÍN

Aburrida, ¿por qué?

LA CONDESITA

No hay en estos pueblecitos castellanos el movimiento febril, la actividad . . .

DON JOAQUÍN

¿Usted cree, señorita, que el movimiento y la actividad
15 hacen el encanto de la vida?

LA CONDESITA

Yo, no; pero lo cree mucha gente. Yo creo lo contrario.

DON JOAQUÍN

¿Cree usted lo contrario, señorita?

LA CONDESITA

Sí, precisamente lo contrario. Yo no podría vivir, por ejemplo, en Nueva York.

DON JOAQUÍN

20 ¿Cómo dice usted, señorita? ¿Qué ha dicho usted? ¿Que no podría usted vivir en Nueva York?

LA CONDESITA

Quien dice Nueva York, dice París, Londres, Buenos Aires . . .

DON JOAQUÍN

No, no; usted ha dicho en Nueva York. ¿Cómo se figura usted a Nueva York?

LA CONDESITA

¡Qué sé yo! Una ciudad muy grande . . . con mucho ruido 5 . . . como un torbellino, como un vendaval . . .

DON JOAQUÍN

Torbellino, vendaval . . . ¿Y las gentes?

LA CONDESITA

¿Es usted de Nueva York?

DON JOAQUÍN

¿Y las gentes?

LA CONDESITA

¡Dios mío, las gentes de Nueva York! . . .   10

MÍSTER BROWN

Don Joaquín: ¡*Old Spain!*

DON JOAQUÍN

¡No interrumpa! ¡No interrumpa! Señorita, ¿cómo se figura que son las gentes de Nueva York?

LA CONDESITA

Yo no quisiera, señor, decir ningún desatino. Pero yo creo, por ejemplo, que en Nueva York las extravagancias no hacen 15 ningún efecto. Las gentes no se asombran de ellas. Y en España, por el contrario, una extravagancia conmueve a todo un pueblo. Un extranjero un poco evtravagante podría creer que, para que progresen los españoles, es preciso hacer muchas extravagancias, a fin de que los españoles salgan de sus 20 casillas.

DON JOAQUÍN

¡Señorita! ¡Estoy asombrado, verdaderamente asombrado! ¡Está usted diciendo unas cosas que las he pensado yo!

LA CONDESITA

¿Las ha pensado usted?

DON JOAQUÍN

¡Sí las he pensado yo y las he escrito!

LA CONDESITA

¿Las ha escrito usted?

DON JOAQUÍN

¡Sí, las he escrito yo! ¡Estoy verdaderamente asombrado!
5 ¡Es usted adivina!

LA CONDESITA

¿Yo, adivina?

MÍSTER BROWN

Adivina y divina.

DON JOAQUÍN

¡Veamos, señorita, veamos! ¡Esto es muy importante! . . .
(*Se oye una voz dentro que dice:* «¡*La Divina Pastora!*»)

DON JOAQUÍN

¿Quién entra aquí? ¿Quién interrumpe? ¡Ah, perdón, per-
10 dón, señorita! ¡Creí que estaba en mi casa!

LA CONDESITA

Y lo está usted, en efecto, señor. Esta casa es la suya.
(*Entra Blasa.*)

BLASA

¡La Divina Pastora! ¡La Pastorcita Divina! (*Sale, tray-
endo una imagen de la Divina Pastora.*)

LA CONDESITA

Adelante la Pastorcita, y ustedes perdonen.

BLASA

¿Están ustedes bien? He dado la vuelta al barrio. Ahora le
15 toca a la casa del señor marqués de Cilleros.

LA CONDESITA

Cada ocho días viene la Pastora a casa. ¿Ustedes no saben
lo que es la Pastorcita Divina?

DON JOAQUÍN

Esta Pastorcita, no; pero otras pastorcitas primorosas, sí.

MÍSTER BROWN

Un poco de serenidad, don Joaquín.

LA CONDESITA

La Pastorcita es preciosa. Tiene en la peana unos borreguitos blancos. La imagen va dando la vuelta por el barrio. Cuando llega aquí, yo me pongo muy alegre.

DON JOAQUÍN

Perdone, señorita; un momento . . . Estábamos diciendo . . .

LA CONDESITA

¿No le gusta a usted la Pastorcita? Estos borreguitos que están alrededor de ella, son blancos, blancos como la nieve.

DON JOAQUÍN

Sí, señorita; es encantadora la imagen. Pero yo quisiera. . . .

LA CONDESITA

¿Y el sombrero que lleva? Es redondo, ancho, con una borlita detrás.

DON JOAQUÍN

Sí, está bien. Yo admiro la borlita y el sombrerito; pero, perdóneme; íbamos diciendo que las gentes de Nueva York. . . .

LA CONDESITA

La Pastorcita parece que va paseando por el campo. Y los borreguitos son blancos, blancos.

DON JOAQUÍN

Sí, señorita, sí. Los borreguitos son blancos, blancos. Pero yo quisiera. . . . Decía usted que la gente de Nueva York. . . .

LA CONDESITA

Y esta Pastorcita es muy milagrosa. ¿Ve usted qué cayado tan bonito lleva?

DON JOAQUÍN

En efecto, señorita; el cayado es precioso. Pero yo la
preguntaba a usted si usted cree que las gentes de Nueva
York. . . .

LA CONDESITA

¿Ve usted cómo sonríe la Pastorcita?

DON JOAQUÍN

5   Sí, sí; ya veo cómo sonríe. Pero, perdóneme usted; yo quisiera saber . . . Íbamos diciendo antes que las gentes de los
Estados Unidos . . .

LA CONDESITA

¿Hablábamos antes de los Estados Unidos? ¡Ah, perdón,
perdón! ¿Qué íbamos diciendo? Cuando tengo la Pastorcita
10   delante se me olvida todo. ¿Es que hay Pastorcitas como éstas
en esas tierras tan lejanas de que usted me habla?

DON JOAQUÍN

Señorita, perdone usted. Yo me desespero; pregunto; soy
indiscreto; soy, si usted quiere, rudo.

LA CONDESITA

¿Cómo voy yo a querer eso? Yo no quiero que usted sea
15   rudo, don Joaquín.

DON JOAQUÍN

Soy todo lo que usted quiera. Y el tiempo va pasando. ¿No
le parece a usted que no se debe perder el tiempo?

LA CONDESITA

¡Perder el tiempo! ¡Qué horror! El tiempo pasa . . . De-
jémosle pasar.

DON JOAQUÍN

20   Pero el tiempo es la vida.

LA CONDESITA

La vida es pensar, sentir, ver pasar el tiempo.

DON JOAQUÍN

Ver pasar el tiempo, ¡no! ¡Dominar el tiempo!

MÍSTER BROWN

Serenidad, serenidad, don Joaquín.

LA CONDESITA

En un día gris de Castilla —de esta tierra de Castilla cercana al país vasco—, en un día gris, ceniciento, de cielo bajo, ¡qué placer el estar en una ventanita contemplando el horizonte! No sabemos la hora que es; la luz es fina e igual durante todo el día; el cielo es de plata bruñida y el campo es verde. No pasa el tiempo. Hemos detenido el curso de las horas. No sentimos ni ansiedad ni pesar por nada. En nuestro espíritu hay tanta paz como en el campo y en la bóveda gris del cielo. ¡Y detrás de nosotros, detrás de nuestra personalidad, sentimos un pasado espiritual de siglos y siglos, que es lo que realza y ennoblece todas las cosas y todo el paisaje! . . .

DON JOAQUÍN

¿Es un sueño todo eso?

LA CONDESITA

¿Qué está usted diciendo?

DON JOAQUÍN

¿Es ése su ideal?

LA CONDESITA

¿Sueño? No; realidad, intensidad de vida; vida íntima y profunda.

DON JOAQUÍN

¿Vida la inactividad? ¿Vida el marasmo?

LA CONDESITA

¡Qué valen todo el trajín del mundo, y todas las máquinas, y toda la actividad industrial, al lado de este minuto pasado en la ventanita contemplando en un día gris el paisaje!

MÍSTER BROWN

¿Qué es lo que decíamos hace un momento?

DON JOAQUÍN

El cielo gris y el silencio profundo . . .

LA CONDESITA

¡Qué bonita es la Divina Pastora! Los borreguitos son blancos y el sombrero de la Pastora es redondo.

DON JOAQUÍN

Sí. La Divina Pastora . . . El silencio, la inactividad . . .

LA CONDESITA

5 ¡Todos la quieren a la Divina Pastora! ¡Todos la queremos! Vamos a llevarla a su sitio, en la otra sala. Vamos, Blasa, trae la Pastorcita. Vamos a ponerle unas flores. Los borreguitos son blancos; el sombrero es redondo y tiene una borlita detrás . . . (*Salen la Condesita y Blasa.*)

MÍSTER BROWN

¡Preciosa mujer!

DON JOAQUÍN

10 ¡Antipática!

MÍSTER BROWN

¡Hermosísima!

DON JOAQUÍN

¡Insoportable!

MÍSTER BROWN

¡Lindísima!

DON JOAQUÍN

¡Cargante! (*Pausa ligera. Míster Brown se sube a una silla.*)

MÍSTER BROWN

15 Oiga usted, don Joaquín, ¿no es un poco redicha esta señorita?

DON JOAQUÍN

¡Discretísima!

MÍSTER BROWN

¿No tiene los ojos un poco pequeños?

DON JOAQUÍN

¡Como dos soles!

MÍSTER BROWN

¿No tiene las mejillas un poco pálidas?

DON JOAQUÍN

¡Como dos amapolas!

MÍSTER BROWN

No le conozco a usted, don Joaquín.

DON JOAQUÍN

¡Estoy furioso, míster Brown! Quiero que pase el tiempo inmediatamente; quiero hacerlo todo en un minuto. ¡Quisiera 5 que ya hubiera pasado una semana, un mes, un año! (*Aparece el Marqués de Cilleros.*)

EL MARQUÉS

Servidor de ustedes.

DON JOAQUÍN

Muy señor mío. Yo soy Joaquín González, forastero en Nebreda. Míster Brown es mi secretario general.

EL MARQUÉS

Mucho gusto en conocerlos personalmente. De oídas ya les 10 conocía.

DON JOAQUÍN

Perdone usted si vengo a molestarle un momento.

EL MARQUÉS

No me molesta usted.

DON JOAQUÍN

No quisiera interrumpir sus ocupaciones.

EL MARQUÉS

No estoy nunca ocupado. Dispongo de todo mi tiempo para 15 ver pasar la vida. (*Se sientan.*)

DON JOAQUÍN

¿Es usted un espectador de la vida?

EL MARQUÉS

Soy un espectador de la corriente de las cosas.

DON JOAQUÍN

¿Es usted fatalista?

EL MARQUÉS

Voy donde me llevan las cosas.

DON JOAQUÍN

Pero la corriente de las cosas puede ser modificada por nuestra intervención. . . .

EL MARQUÉS

Ésa es la gran ilusión humana. Al cabo de todo, cuando se
5 han dado muchas vueltas por el mundo, se advierte la ineficacia del esfuerzo del hombre.

DON JOAQUÍN

La doctrina de usted lleva derechamente a la inacción.

EL MARQUÉS

¿A qué llama usted inacción?

DON JOAQUÍN

El hombre vive para desenvolver su personalidad, y en la
10 acción la desenvuelve.

EL MARQUÉS

¿A qué llama usted inacción?

DON JOAQUÍN

Llamo inacción a la quietud.

EL MARQUÉS

¿Cree usted que sin máquinas, sin empresas industriales, sin grandes negocios no puede haber acción?

DON JOAQUÍN

15 Condena usted la vida moderna.

EL MARQUÉS

Condeno lo accesorio, lo inútil, lo superfluo de la vida moderna y de todas las vidas.

DON JOAQUÍN

Con el criterio de usted no habría civilización.

EL MARQUÉS

¿Son las máquinas la civilización? Dentro de un hombre
20 quieto puede haber más actividad que dentro de un personaje frenético con los negocios industriales.

DON JOAQUÍN

No puedo comprender el marasmo, ni en el individuo ni en las naciones.

EL MARQUÉS

Pensamiento, pensamiento; meditación, meditación. . . . Toda la actividad de un hombre está ahí. . . . Entre cuatro paredes se puede ser más activo y más feliz que en la más 5 agitada de las ciudades.

DON JOAQUÍN

¿Cree usted que Nebreda es superior, por ejemplo, a Nueva York?

EL MARQUÉS

He estado en muchas capitales del mundo y nunca me he sentido tan dentro de mí mismo, tan activo, como en este 10 viejo pueblo castellano.

DON JOAQUÍN

La humanidad necesita caminar, marchar.

EL MARQUÉS

¿Marchar de prisa, vertiginosamente?

DON JOAQUÍN

Marchar sin detenerse.

EL MARQUÉS

¿Para llegar adónde? ¿Es que la humanidad tiene señalado 15 un momento fijo para llegar a alguna parte?

DON JOAQUÍN

El progreso lo requiere. La marcha de la humanidad no admite detenciones.

EL MARQUÉS

La marcha de la humanidad es indefinida. No tiene la especie humana una hora, repito, para llegar a ninguna parte. 20 Da lo mismo llegar un poco antes que un poco después. Y lo que importa es cómo se llega; es decir, cómo se va llegando lentamente a lo largo de los siglos.

DON JOAQUÍN

En cierto modo usted desdeña el progreso.

EL MARQUÉS

Según del progreso de que se trate. Si es cierto progreso
industrial, mecánico, tiene usted razón. Yo no sé por qué he
de ser más feliz llegando a San Sebastián desde aquí en seis
5 horas que llegando en doce.

DON JOAQUÍN

Me asombra usted, marqués. Me asombra usted y,
escuchándole, después de conocer la opinión que de usted
tienen sus convecinos, siento por usted una profunda simpatía.

EL MARQUÉS

10 Yo también, don Joaquín, charlando con usted parece que
charlo con un antiguo amigo.

DON JOAQUÍN

Míster Brown, esto es admirable.

MÍSTER BROWN

Verdaderamente admirable.

EL MARQUÉS

El amigo de usted, míster Brown, a quien yo he admirado
15 en su trabajo alguna vez, debe de pensar algo parecido a lo
que yo pienso.

MÍSTER BROWN

Gracias, Marqués. Es usted un caballero perfecto.

EL MARQUÉS

Gracias también, amigo míster Brown.

DON JOAQUÍN

¿Quiere usted que le sea sincero, Marqués?

EL MARQUÉS

20 Séalo usted, don Joaquín.

DON JOAQUÍN

Hay en esta tierra un ambiente que me atrae y me des-

agrada al mismo tiempo. No sé cómo explicarlo. Me siento
atraído y a la vez disgustado por muchas cosas. No acierto a
explicármelo.

EL MARQUÉS

Yo se lo explicaré a usted. Soy un poco orador; resabio de
mis tiempos del Senado. Cuando usted, en una callejita si- 5
lenciosa, apartada, contempla un viejo palacio, no siente
pasar el tiempo. El silencio, la paz, la hermosura de las viejas
piedras, le atraen a usted.

DON JOAQUÍN

Sí, sí. *¡Old Spain!*

EL MARQUÉS

Cuando usted habla con un labriego de nuestras cam- 10
piñas o entra en un taller y conversa con un artesano, la
calma, el sosiego, las maneras lentas y reposadas de esos
viejos castellanos, tan señores en su humildad, le atraen a
usted.

DON JOAQUÍN

Sí, sí, *¡Old Spain!* 15

EL MARQUÉS

Cuando penetra usted en una Catedral y contempla usted
en la immensidad de la nave una viejecita silenciosa, vestida
de negro, que permanece horas y horas entregada a su fe, a
sus profundos sentimientos tradicionales, sin esperar nada de
nadie, ni ambicionar ya nada, usted se siente atraído irresis- 20
tiblemente.

DON JOAQUÍN

Sí, sí. *¡Old Spain!*

EL MARQUÉS

Cuando usted asciende por la colina en que está asentado
un viejo castillo y contempla luego desde las rotas almenas
la vieja ciudad, que se desparrama allá en lo hondo, llena de 25
palacios primorosos, usted se siente atraído por esta obra admirable de tantos siglos.

DON JOAQUÍN

Sí, sí. ¡*Old Spain!*

EL MARQUÉS

Y, sin embargo, don Joaquín, usted querría transformar el ambiente de todo este paisaje, de todas estas ciudades; usted querría imprimir un impulso formidable a la vida española.

DON JOAQUÍN

¡Oh, sí, sí; eso es lo cierto!

EL MARQUÉS

Y lo cierto es también que para eso habría que abolir el pasado.

DON JOAQUÍN

¿Abolir el pasado?

EL MARQUÉS

Borrar la obra lenta y compleja de muchos siglos.

DON JOAQUÍN

Es preciso caminar hacia lo porvenir.

EL MARQUÉS

Es preferible gustar las cosas hora por hora, minuto por minuto, que pasar vertiginosamente por la vida.

DON JOAQUÍN

El mundo está cada vez más dominado por la acción.

EL MARQUÉS

Sí; por la acción y por la cantidad. Y ese ambiente de la vieja España que usted admira, y que al mismo tiempo le desagrada, es la tradición, la experiencia de incontables generaciones. Y la tradición no se improvisa. La tradición es la finura y el sentido de lo perfecto. Cuando yo veía que antes se llevaban de nuestras ciudades bellas portadas de edificios, y a veces viejos palacios enteros, yo lo deploraba; pero al mismo tiempo pensaba que lo que no se pueden llevar esos pueblos grandes y poderosos es el ambiente de perfección que ha creado esos palacios y esas ciudades.

DON JOAQUÍN

¿No siente usted, Marqués, deseos de salir de Nebreda?

EL MARQUÉS

¿Adónde iré que no vea lo que ya he visto? Cielo, tierras,
montañas, mares . . . Yo soy ya viejo. ¿Ve usted este
palacio? Esta casa es una de las más hermosas de Castilla. Y
en esta casa mi hija y yo sólo habitamos una parte reducida 5
del edificio. Todo lo demás es para nosotros inútil. Y nuestra
comida es tan sobria como nuestra habitación.

DON JOAQUÍN

¿Ha vivido usted siempre en Nebreda, Marqués?

EL MARQUÉS

He vivido con mi familia en Madrid. Hemos vivido también largas temporadas en el extranjero. Desde que se murió 10
mi mujer, hace seis años, me retiré a Nebreda y todo acabó
para mí. ¿No conocen ustedes esta casa?

DON JOAQUÍN

Mucho gusto, Marqués, tendremos en conocerla.

EL MARQUÉS

Con permiso de ustedes; iré a dar orden de que abran
todas las dependencias y ahora mismo podrán ustedes vi- 15
sitarla. (*Sale el Marqués.*)

MÍSTER BROWN

Esto es admirable, don Joaquín.

DON JOAQUÍN

Verdaderamente admirable, míster Brown. (*Míster Brown
se sube al respaldo de la silla.*)

MÍSTER BROWN

¡Turidu!

DON JOAQUÍN

¡Old Spain! (*Sale la Condesita.*)   20

MÍSTER BROWN

Perdone otra vez, señorita.

LA CONDESITA

Está usted bien. ¡Si no le digo que le he visto muchas veces! . . .

DON JOAQUÍN

¿Y a mí también?

LA CONDESITA

¿A usted? ¿De qué modo, siendo de tan lejos?

DON JOAQUÍN

5 ¿Cómo sabe usted que soy de tan lejos?

LA CONDESITA

Parecía tener usted antes mucho interés por las gentes muy lejanas.

DON JOAQUÍN

Pero el que yo tuviera interés en oír su opinión sobre esas gentes, no quiere decir que sea yo también de allá lejos.

LA CONDESITA

10 ¿Qué importa, después de todo, el lugar del nacimiento? Lo que importa es el corazón con que nacemos.

DON JOAQUÍN

¿Y usted cree que hay gentes sin corazón?

LA CONDESITA

Sin corazón . . . o teniéndolo sólo para sentir los goces materiales y rudos de la vida.

DON JOAQUÍN

15 ¿No concibe usted que esos llamados intereses materiales pueden ser el nervio de la vida moderna?

LA CONDESITA

El nervio de la vida moderna es el mismo que el de la vida antigua: el espíritu.

DON JOAQUÍN

Pero el espíritu no es la inacción.

LA CONDESITA

20 Pero el movimiento, el ir y venir afanoso de las gentes, no añade nada a la nobleza del espíritu.

DON JOAQUÍN

Hay una oposición irreductible, Condesita, entre el ideal de ciertas naciones y el de otras.

LA CONDESITA

¿Irreductible, don Joaquín? No soy yo tan severa; lo que sospecho es que las personas nacidas en uno u otro de esos países no tendrán mucha facilidad para entenderse.   5

DON JOAQUÍN

¿Ni para amarse tampoco?

LA CONDESITA

¿Amarse?

DON JOAQUÍN

Sí, amarse.

LA CONDESITA

El amor está por encima de todo.

DON JOAQUÍN

El amor llega a comprenderlo todo.

LA CONDESITA

O, por lo menos, a tolerarlo todo.   10

DON JOAQUÍN

¿A tolerarlo? ¡Yo no quiero que me tolere nadie!

LA CONDESITA

Perdón, don Joaquín. ¿Cómo puede usted suponer que me refería a su persona?

DON JOAQUÍN

Los niños comienzan bromeando y acaban riñendo.   15

LA CONDESITA

Y usted, ¿quiere principiar por el final?

DON JOAQUÍN

Voy siempre un poco contra la costumbre; lo inusitado me enamora.

LA CONDESITA

¿Es usted un poco extravagante, don Joaquín?

DON JOAQUÍN

¿Un poco? Un mucho, un mucho . . . La vida sin extravagancias no tiene encantos.

LA CONDESITA

Y como en España no hay extravagancias, es preciso hacer muchas para que los españoles salgan de sus casillas.

DON JOAQUÍN

5 ¡Condesita, por Dios, dígame usted! ¡Eso lo he pensado yo, lo he escrito yo! Estoy asombrado. ¿Cómo ha podido usted adivinarlo? (*Aparece el marqués.*)

EL MARQUÉS

Señores, cuando ustedes gusten. Ya está todo abierto y dispuesto para que ustedes visiten la casa.

DON JOAQUÍN

10 A los pies de usted, señorita.

MÍSTER BROWN

Señorita . . .

LA CONDESITA

Señores, mucho gusto. (*Salen el marqués, don Joaquín y míster Brown. La condesita coge una labor y se pone a trabajar junto a un balcón. Breve pausa. Sale el marqués.*)

EL MARQUÉS

Ya van esos señores escaleras arriba, en compañía de Águeda; voy a coger la llave del oratorio, que me había 15 olvidado. (*Toma el marqués una llave de un escritorio o bufete.*)

LA CONDESITA

Papá, ¿qué te ha dicho ese señor?

EL MARQUÉS

Es un señor un poco raro; pero simpático. Ya te contaré luego.

LA CONDESITA

Yo le he visto también mucho por las afueras. Una tarde 20 iba yo por la Alameda Vieja con Águeda; ese señor iba delante; había estado escribiendo en un cuadernito y después arrancaba las hojas y las guardaba en una cartera. Como hacía viento, una de las hojitas se le escapó sin que él lo viera y comenzó a volar por el campo. Águeda la cogió y me la dió a mí. La nota estaba escrita en inglés; ya te la enseñaré 5 luego. Encima pone por título *Nueva York Nebreda,* y luego dice que en Nueva York las extravagancias no escandalizan a nadie; que en España una extravagancia conmueve a todo un pueblo; que es preciso hacer en España muchas extravagancias para que los españoles salgan de sus casillas; y que 10 sólo cuando los españoles salgan de sus casillas podrá progresar España.

EL MARQUÉS

Es curioso. Ya había oído hablar de este señor. Es un poco extravagante.

LA CONDESITA

Extravagante, no, papá. 15

EL MARQUÉS

Estrafalario.

LA CONDESITA

Estrafalario, no, papá.

EL MARQUÉS

Fantástico.

LA CONDESITA

No, no, fantástico, no, papá. Yo lo he visto paseando por las afueras. 20

EL MARQUÉS

¿Y él te ha visto a ti?

LA CONDESITA

Pasea mucho por los alrededores del pueblo.

EL MARQUÉS

¿Y él te ha visto a ti?

LA CONDESITA

Es un gran andarín.

EL MARQUÉS

¿Y él te ha visto a ti?

LA CONDESITA

¡Papá, qué cosas tienes!

EL MARQUÉS

Hasta ahora, Pepita. (*El marqués se marcha y se detiene en la puerta. La condesita deja la labor, apoya el codo en la rodilla y reclina la cabeza en la mano, así permanece un momento pensativa; el marqués la mira desde lejos, llega despacito hasta ella por detrás, le pone las manos en la cabeza y le da un beso en la frente. Después sale presuroso.*)

ACTO TERCERO

Cuadro Primero

Calle. Al levantarse el telón están en escena dos ancianos,
Don Nemesio *y* Don Vedasto. *Se oyen de cuando en cuando
clamorosas vociferaciones. Una murga toca una música viva,
alegre, fuera de la escena.*

DON VEDASTO

¡Qué escándalo!

DON NEMESIO

¡Qué horroroso!

DON VEDASTO

¡Esto es el fin del mundo!

DON NEMESIO

¡Esto no ha ocurrido desde el tiempo de los franceses!

DON VEDASTO

¡Tiene la culpa el Gobierno!   5

DON NEMESIO

Antes no pasaban estas cosas. (*Sale corriendo el Corresponsal.*)

EL CORRESPONSAL

¿No saben ustedes lo que pasa?

DON NEMESIO

¡Alguna barbaridad!

DON VEDASTO

¿Don Joaquín?

EL CORRESPONSAL

¿Son ustedes joaquinistas o antijoaquinistas? Medio pueblo 10
es joaquinista, la otra mitad, antijoaquinistas. ¿Qué es usted,

63

don Vedasto? ¿Qué es usted, don Nemesio? Voy corriendo a
telegrafiar a Madrid, a mi periódico . . .

VOCES

¡Viva don Joaquín!

OTRAS VOCES

¡Muera don Joaquín! (*Se oyen aplausos clamorosos. Luego
protestas. Sigue tocando la murga.*)

DON NEMESIO

5 ¡Qué escándalo!

DON VEDASTO

¡Tiene la culpa el Gobierno!

EL CORRESPONSAL

¿Qué son ustedes, joaquinistas o antijoaquinistas? Voy corriendo a telegrafiar a mi periódico; ya todos los periódicos de
Madrid hablan del suceso . . . Y lo peor —¿saben ustedes?
10 Sabe usted, don Nemesio; sabe usted, don Vedasto—; lo
peor es que la condesita de la Llana no se quiere casar con
don Joaquín.

DON NEMESIO

¿Qué no se quiere casar?

DON VEDASTO

¡Que no se case!

DON NEMESIO

15 Teniendo tantos millones don Joaquín . . .

DON VEDASTO

¿Cree usted que tiene tantos millones? . . .

DON NEMESIO

Es archimillonario.

DON VEDASTO

¡Es un farsante!

DON NEMESIO

¡Antijoaquinista! . . .

DON VEDASTO

20 ¡Joaquinista!

EL CORRESPONSAL

Señores; paz, paz. Voy a escape a telegrafiar.

VOCES

¡Viva don Joaquín!

OTRAS VOCES

¡Muera don Joaquín! (*Se oyen de nuevo aplausos. Luego, protestas.*)

DON NEMESIO

¡Es horroroso!

DON VEDASTO

¡Tiene la culpa el Gobierno!   5

EL CORRESPONSAL

Vengo en seguida, vengo en seguida. ¡Ah! ¿No conocen ustedes la hoja que ha publicado don Joaquín? Se ha repartido por todo el pueblo . . . Aquí está . . . No, no; esto es una receta para hacer pestiños . . . No, esto tampoco es; esto es la oración de San Serenín que me ha dado mi 10 cuñada para que se la dé a mi mujer . . . Aquí está. Como la condesa de la Llana no se quiere casar con don Joaquín, ¿qué ha hecho don Joaquín? Ha prometido lo siguiente, si la condesita accede al casamiento. Atención. (*Lee.*) «Sepan todos los habitantes de Nebreda que el abajo firmante pro- 15 mete: pesetas cien mil para la catedral; doscientas mil para la Escuela de Artes y Oficios; trescientas mil para un hospital; doscientas mil para el Casino; doscientas mil, distribuídas en ocho premios de veinticinco mil, que habrán de ser sorteados entre los vecinos de Nebreda. Promete todo 20 esto el abajo firmante, si la condesita de la Llana le concede el suspirado sí. El millón de pesetas se halla depositado en el Banco de España. Firmado, Joaquín González Moore. Nota: invito a los señores representantes de la Prensa a que hagan información de este suceso. Y prometo co- 25 rresponder a su trabajo con mi especial gratitud.» ¿Eh, qué tal?

DON NEMESIO

¿Tantos millones tiene don Joaquín?

DON VEDASTO

No tiene un céntimo.

DON NEMESIO

Es un archimillonario.

DON VEDASTO

Es un farsante.

VOCES

5 ¡Viva don Joaquín!

OTRAS VOCES

¡Muera don Joaquín! (*Aplausos; protestas. Toca la murga.*)

EL CORRESPONSAL

Ahí en la plaza está todo el pueblo . . . (*Llamando a alguien que pasa fuera de la escena.*) ¡Eh! Alcalde, ¿dónde va usted? . . . Un momento. (*Sale el alcalde*).

EL ALCALDE

10 ¿Qué hay, Corresponsal? ¿Sabe usted la novedad? He telegrafiado esta mañana a Madrid, al Gobernador del Banco de España . . . Ya habrá usted leído la hoja que ha circulado por ahí.

EL CORRESPONSAL

Sí, se ha telegrafiado también a Madrid a los periódicos.

EL ALCALDE

15 Yo, el alcalde de Nebreda, obligado a saberlo todo, a mantener el orden, a volver por los principios, a . . . Bueno; he telegrafiado al Gobernador del Banco de España; he preguntado atentamente, claro; con todo respeto, claro; con toda cortesía, claro . . .

EL CORRESPONSAL

20 ¡Claro!

EL ALCALDE

He preguntado si estaba allí depositado el millón de pese-

tas de don Joaquín, ¿y saben ustedes lo que han contestado?
Acabo de recibir este telegrama del Gobernador del Banco.

VOCES

¡Viva don Joaquín!

OTRAS VOCES

¡Muera don Joaquín! (*Aplausos; protestas.*)

EL ALCALDE

No me dejarán leer el telegrama. (*Lee.*) «Gobernador del
Banco de España a Alcalde de Nebreda. La cuenta corriente
de don Joaquín González Moore, en el Banco de España,
asciende a veinte millones de pesetas. Hay aquí depositado un
millón para donativos condicionales a esa ciudad. La fortuna
personal de don Joaquín González Moore en los Estados Unidos, se calcula en treinta millones de dólares. Correspondo
atentamente a su saludo.»

EL CORRESPONSAL

¡Qué barbaridad!

DON NEMESIO

¡Qué animal!

DON VEDASTO

¡Qué bruto!

EL ALCALDE

¿Qué dicen ustedes ahora?

EL CORRESPONSAL

Yo he sido siempre joaquinista.

DON NEMESIO

Y yo también.

DON VEDASTO

Y yo también tenía mi sospecha.

EL ALCALDE

He estado en la estación . . . ¿Dónde se ha metido usted,
corresponsal? Han llegado una porción de redactores de periódicos de Madrid. Vienen también fotógrafos. Hasta ha
llegado el representante de una casa de películas de los Es-

tados Unidos . . . ¿Dónde se ha metido usted? ¿Usted sí
que estará enterado de lo del collar de Lucita Serrano? ¿El
collar de perlas que le regaló don Joaquín y que llevaba anoche Lucita en el baile del casino? ¡Un collar que vale cin-
5 cuenta mil pesetas! Lo descubrió Daza, el joyero. Y. se lo
quiso comprar a Lucita en tres mil duros.

EL CORRESPONSAL

¡Qué escándalo!

DON NEMESIO

¡Qué tío!

DON VEDASTO

¡Cómo se aprovecha!

EL ALCALDE

10 Me marcho, me marcho . . . ¡Hay que hacer que la condesita se case con don Joaquín!

EL CORRESPONSAL

¡Claro que se ha de casar!

EL ALCALDE

Pues no quiere casarse.

DON NEMESIO

Eso sería una vergüenza para el pueblo.

DON VEDASTO

15 ¡No lo toleraremos!

EL ALCALDE

(*Llamando a alguien que pasa fuera de la escena.*) ¡Lorenzo! ¡Lorenzo! Venga usted aquí un momento.

VOZ FUERA

No puedo; voy al telégrafo.

EL ALCALDE

¿Pasa algo?

LA VOZ

20 ¡Gran notición! ¡Notición sensacional! Ha desaparecido
del pueblo la condesita de la Llana; no se sabe de ella desde
hace dos días. El marqués no quiere decir dónde está.

EL ALCALDE

¡Eh! ¿Qué dice usted?

VOZ FUERA

Y acaban de marcharse también del pueblo don Joaquín y
míster Brown.

EL ALCALDE

¡Diablo! ¡Eso no puede ser!

EL CORRESPONSAL

Vamos corriendo a casa del marqués.

DON NEMESIO

Vayan ustedes.

DON VEDASTO

Corran, corran a casa del marqués. (*Se oyen vivas a don
Joaquín. Pero ahora la aclamación es unánime. Como en una
salmodia, con ritmo musical, la multitud aclama a don
Joaquín. Se oye a lo lejos la murga.*)

VOCES

¡Viva, viva, viva don Joaquín! . . . ¡Viva, viva, viva don
Joaquín! . . .

CUADRO SEGUNDO

Exterior de una casa de campo. En escena LA CONDESITA *y*
ÁGUEDA. LA CONDESITA, *con un cestito en la mano, echa de
comer a unas palomas, que se supone están fuera.*

LA CONDESITA

¡Palomitas, palomitas! Mira cómo acuden, Águeda. Todas
bajan, todas bajan. Oiga, esa rabiosilla no quiere dejar comer
a las otras. ¡Palomitas, palomitas! (*A Águeda.*) Y ahora, vamos a lo importante.

ÁGUEDA

¡Ay, Pepita! ¿Qué es lo que vas a hacer?

LA CONDESITA

Déjate de lamentaciones, Águeda. Demasiado sabes tú lo
que voy a hacer. ¿Qué voy a hacer?

ÁGUEDA

Sí. ¿Qué vas a hacer?

LA CONDESITA

Voy a darle una lección a don Joaquín y al mismo tiempo distraerme un poco.

ÁGUEDA

¡Ay, Pepita mía! Te conozco desde que naciste; te he
5 tenido en mis brazos y no quiero más que tu bien.

LA CONDESITA

¿Y crees tú que yo puedo hacer algún disparate?

ÁGUEDA

Disparate, no; pero, ¿es propio esto de la Condesa de la Llana?

LA CONDESITA

¿Y por qué no ha de ser propio?

ÁGUEDA

10 ¿Y qué dirá don Joaquín? Don Joaquín te quiere; se casará contigo.

LA CONDESITA

Si me quiere don Joaquín, me querrá más cuando vea que yo le gano a él en extravagancias. ¿No quiere extravagancias? Pues las va a tener y gordas.

ÁGUEDA

15 Y tu padre; ¿qué dirá tu padre?

LA CONDESITA

Mi padre, encantado. ¿A quién hacemos daño con esto? Después de todo, es una broma inocente y muy española, de buen gusto.

ÁGUEDA

Pero, ¿vendrá don Joaquín?

LA CONDESITA

20 ¿Quién lo duda? ¿Has oído lo que nos ha dicho el recadero, que todas las mañanas y todas las tardes enviamos con el

auto al pueblo? Don Joaquín, al principio, me creía escondida en algún convento de la ciudad. Los registró todos; es decir, él no; él dió dinero; hizo donativos espléndidos, y acabó por saber que en los conventos de la ciudad no estaba yo.   5

ÁGUEDA

¡Ay, Pepita! ¿Y cómo va a saber que estamos aquí? Desistirá de su amor.

LA CONDESITA

¡Qué simple eres, Águeda! Al contrario; más apasionado ahora que antes. El debe de sospechar que estoy en alguna finca de la familia; ya de otras casas lejanas han venido 10 labradores y nos han dicho que don Joaquín ha enviado mensajeros que me buscaban. No tardará él en estar aquí. En automóvil se recorre en poco tiempo todo el término de Nebreda.

ÁGUEDA

¡Ay, Pepita, tengo miedo a estos caprichos tuyos!   15

LA CONDESITA

¡Simple, simple, simple! Y cuando saliera mal todo, ¿qué íbamos perdiendo?

ÁGUEDA

¡Perder ese partido tan bueno!

LA CONDESITA

¿Y qué me importa a mí la fortuna de don Joaquín? ¿Para qué quiero más de lo que tengo? Con lo que tengo yo, con 20 lo que tendré el día de mañana, me río de todos los multimillonarios. No necesito más.

ÁGUEDA

Pero, ¿vendrá don Joaquín?

LA CONDESITA

Vendrá don Joaquín, y no ha de tardar mucho. Mira,

llama a Servando, el cachicán. Por allí va. ¡Servando! ¿Eh?
Aquí . . . (*Sale Servando.*)

LA CONDESITA

Oye, Servando; todo lo que yo he ordenado, ¿está ya a
punto?

SERVANDO

5 Sí, señorita. Todos los comediantes, los que han de hacer
de comediantes, están preparados.

LA CONDESITA

¿Has hablado de nuevo a todos?

SERVANDO

Sí, señorita; todos están arreglados para cuando la
señorita disponga.

LA CONDESITA

10 Yo les he aleccionado bien; pero temo que alguno no sepa
su papel.

SERVANDO

Esté descuidada la señorita.

LA CONDESITA

Vamos a ver, Servando; primero . . . ¿qué hemos dicho
que será lo primero?

SERVANDO

15 Lo primero, lo de los tiritos.

LA CONDESITA

Sí, lo de los tiritos. ¿Y luego?

SERVANDO

Luego, lo de los comediantes y la armadura.

LA CONDESITA

¿Tú sabrás cuando hay que principiar?

SERVANDO

Sí, señorita; cuando esté aquí ese señor que se llama don
20 Joaquín.

LA CONDESITA

Es un caballero alto, buen mozo . . .

SERVANDO

¿Buen mozo?

LA CONDESITA

Sí, buen mozo, guapo . . .

ÁGUEDA

¡Ay, Pepita, y cómo dices eso de buen mozo y guapo!

LA CONDESITA

Vamos, Águeda, calla. ¿No quieres que diga la verdad?

ÁGUEDA

Sí, sí, di la verdad, Pepita. Recréate diciendo la verdad. 5

SERVANDO

¿Dice la señorita que buen mozo y guapo?

LA CONDESITA

Eso es. Buen mozo, alto, erguido . . .

SERVANDO

Está bien, señorita. Y si hace falta, ¿habrá que darle también algún cachiporrazo?

LA CONDESITA

¡Jesús! ¡Qué barbaridad! ¡Qué horror! Hay que tratarle 10 con toda clase de consideraciones.

SERVANDO

Perdone usted, señorita; es que yo creía que era algún enemigo de la señorita.

LA CONDESITA

Enemigo mío, no. Hay que tratarlo con toda finura.

ÁGUEDA

Sí, sí, Servando. Hay que tratarlo como a las niñas de los 15 ojos de la señorita.

LA CONDESITA

Vamos, Águeda, vamos . . . ¿Has puesto, Servando, un centinela en la torrecilla de la casa?

SERVANDO

No hace falta, señorita. Si es para ver los autos que vienen por la carretera, yo tengo más vista que nadie. Desde aquí yo veo allá lejos, lejos, cuando aparece un auto por la carretera . . .

LA CONDESITA

5   Pues fíjate bien para que no nos cojan desprevenidos.

SERVANDO

¡A ver, a ver! ¡Toma, pues si parece que ha asomado uno allá por lo alto!

LA CONDESITA

Tienes una vista maravillosa, Servando. Yo apenas distingo nada.

SERVANDO

10   Sí, sí. Viene un auto por allá lejos.

LA CONDESITA

Él debe de ser. Listo, listo a la cabeza. Avisa a todos.

SERVANDO

Voy corriendo, señorita, voy corriendo. (*Se marcha.*)

LA CONDESITA

Tú, Águeda, conmigo; vamos a la casa. (*Pausa.*) Águeda . . .

ÁGUEDA

15   ¿Qué? ¿Ves? Lo decía yo . . .

LA CONDESITA

Águeda . . .

ÁGUEDA

¿Vacilas? ¿Dudas? Tenía yo razón.

LA CONDESITA

¿Vacilar yo? ¿Dudar yo, siendo quien soy? No . . . no es eso. Es que siento, siento hasta el fondo del alma, que
20   éste es un minuto decisivo para mí. Es que en este minuto se

va a abrir para mí una nueva vida. Es que veo ya que no soy la misma que era antes. Todo va a cambiar para mí, Águeda; de un lado está mi juventud libre, independiente en esa vieja ciudad castellana; y de otro . . . No sé, Dios mío, qué es lo que me está reservado. Mi vida va a ser desde este momento otra distinta. Y ya no veré con los mismos ojos este cielo azul, ni las montañas, ni las serenas noches estrelladas de Castilla . . . ¡Ah, estrellitas del cielo de España! Ya acaso deje de veros para siempre.

ÁGUEDA

¿Y por qué, Pepita? Aún es tiempo.

LA CONDESITA

Tiempo, ¿de qué? ¿Es que podemos detener la vida que pasa? Adelante, adelante; en marcha, en marcha hacia lo desconocido. No puedo retroceder. Mi corazón lo manda. Y yo . . . Ya no soy dueña de mi corazón. (*Mutis las dos. Pausa ligera. Entran don Joaquín y míster Brown.*)

DON JOAQUÍN

Me parece, míster Brown, que hemos acertado.

MÍSTER BROWN

¿Cree usted, don Joaquín?

DON JOAQUÍN

Creo que nos hallamos en una pista segura.

MÍSTER BROWN

¡Dios lo haga! Estoy derrengado de tanto automóvil. ¡Y tengo un apetito! Hemos recorrido todo el término de Nebreda. ¿No podríamos tomar aquí algo, don Joaquín?

DON JOAQUÍN

El te, el te de las cinco . . .

MÍSTER BROWN

Unas magras con unos traguitos, don Joaquín. ¡Tengo un apetito!

DON JOAQUÍN

¿No hay nadie aquí? Todo está cerrado: puertas y ventanas. Llame usted, míster Brown. (*Míster Brown se acerca receloso, llama y arrojan desde una ventana un jarro de agua.*)

MÍSTER BROWN

¡Qué barbaridad! Se dice: *Agua va.*

DON JOAQUÍN

Curioso, curioso . . . Pintoresco . . . pintoresco . . .

MÍSTER BROWN

5 ¡Acuático! ¡Acuático!

DON JOAQUÍN

Muy pintoresco. Llame usted otra vez, míster Brown.

MÍSTER BROWN

¿Que llame yo?

DON JOAQUÍN

Es usted mi secretario general.

MÍSTER BROWN

¿Que llame yo como secretario general?

DON JOAQUÍN

10 Sí, míster Brown.

MÍSTER BROWN

Pero usted, don Joaquín, ¿cree que los secretarios generales están para llamar a las puertas?

DON JOAQUÍN

Para llamar a las puertas y para todo lo que haga falta.

MÍSTER BROWN

¿Y si me echan otro jarrito de agua?

DON JOAQUÍN

15 Llame usted, míster Brown. No tenga miedo. Yo sabré

recompensar su heroísmo. Mil pesetas (*míster Brown da un paso hacia la puerta*), dos mil pesetas (*míster Brown da otro paso*), tres mil pesetas por llamar a la puerta. (*Míster Brown sigue avanzando hacia la puerta, lleno de miedo; suena un disparo y retrocede corriendo.*)

MÍSTER BROWN

¡Que me matan, que me matan!

DON JOAQUÍN

¡Hombre, míster Brown, usted es un ser pusilánime! 5

MÍSTER BROWN

Pusi . . . ¿qué? Yo no llamo a esa puerta. Que llame otro.

DON JOAQUÍN

No pasa nada; va usted a ver. Llamaré yo. (*Se acerca don Joaquín, llama a la puerta y aparece una vieja en una ventana.*)

VIEJA

¿Quién es?

DON JOAQUÍN

Abran a unos viajeros. ¿Ve usted, míster Brown, como•no pasa nada? 10

MÍSTER BROWN

¿Que no pasa nada? ¿No cree usted que debemos marcharnos ya? Esto ya está visto, don Joaquín.

DON JOAQUÍN

Espere, espere; no tenga prisa. Esto comienza a ponerse interesante.

MÍSTER BROWN

¿Interesante? No veo el interés. (*Sale de la casa un per-* 15 *sonaje disfrazado de bandolero andaluz; trae un trabuco y comienza a pasearse ante la fachada.*) ¡Anda, y qué personaje sale por la puerta!

DON JOAQUÍN

Vaya usted hacia él, míster Brown. Interróguele, interróguele. Es usted mi secretario general.

MÍSTER BROWN

¿También los secretarios generales han de interrogar a estos ciudadanos?

DON JOAQUÍN

5 Acérquese. Pregúntele si ésta es la casa del marqués de Cilleros.

MÍSTER BROWN

¿Eh, caballero?

DON JOAQUÍN

¿Dice usted caballero?

MÍSTER BROWN

¿Cree usted, don Joaquín, que un hombre que lleva un 10 trabuco al hombro no es caballero? Llámele usted otra cosa a ver lo que pasa.

DON JOAQUÍN

Interrogue.

MÍSTER BROWN

¿Eh, caballero? ¿Es ésta la casa de la Umbra?

BANDIDO

Ésta no es casa; esto es castillo.

MÍSTER BROWN

15 ¿Castillo? ¡Pues me río yo del castillito!

DON JOAQUÍN

Sí debe de ser un castillo. (*Sale una dueña.*)

DUEÑA

Sí, señor; un castillo, y en él está encantada la nueva Dulcinea del Toboso. (*Sale un personaje con armadura y una gran lanza.*)

MÍSTER BROWN

¡Ya escampa! Don Quijote de la Mancha.

DON JOAQUÍN

¡Oh, fantástico, sublime, muy pintoresco!

MÍSTER BROWN

¿Adónde va ese tío?

DON JOAQUÍN

Interrogue, interrogue, míster Brown.

MÍSTER BROWN

¿Que le interrogue yo con esa lanza que lleva?   5

DON JOAQUÍN

No tema, no tema. Yo le protejo. Don Quijote es un caballero.

MÍSTER BROWN

Ya sale Dulcinea. Ya la traen en una silla de manos. (*Aparece una silla de manos, en la que viene una dama cubierta con un velo.*)

DON QUIJOTE

Yo, don Quijote de la Mancha, hago saber a todos que la nueva y sin par Dulcinea del Toboso está encantada por obra 10 de un malsín encantador. Y que no saldrá de su encantamiento en tanto que el nuevo Sancho Panza, o sea míster Brown, no se propine con propia mano una tanda de doscientos azotes.

MÍSTER BROWN

¡Qué bárbaro! ¡Yo doscientos azotes!   15

DON JOAQUÍN

Doscientos azotes nada más, míster Brown.

MÍSTER BROWN

¿Yo darme doscientos azotes? ¡Ni soñando! Señora, esto ya pasa de ser una broma. ¡No, no, en serio, no! ¿Quién es usted? Descúbrase usted. Yo no me dejo dar azotes. Señora, por favor; descúbrase usted. (*La dama enlutada se descubre y ríe a carcajadas.*)

DON JOAQUÍN

¡Divina Condesita!

LA CONDESITA

¡*Old Spain*, don Joaquín!

DON JOAQUÍN

5 ¡Divina Condesita! ¡Admirable país de España!

LA CONDESITA

¿Quiere usted más extravagancias, don Joaquín? Los españoles hasta que no salgamos de nuestras casillas no podremos progresar.

DON JOAQUÍN

¿Pero es usted adivina, Pepita? ¡Yo he escrito eso alguna 10 vez!

LA CONDESITA

Ya le contaré a usted, señor.

DON JOAQUÍN

¿Señor nada más?

LA CONDESITA

Y amigo.

DON JOAQUÍN

¿Y amigo nada más?

LA CONDESITA

15 Ahora, amigo. (*Van desapareciendo los demás personajes por la puerta de la casa.*)

DON JOAQUÍN

¿Se han marchado?

LA CONDESITA

Estamos solos.

DON JOAQUÍN

Solos con nuestros corazones. Y en la majestad de la tarde.

LA CONDESITA

¿No le gustan a usted estos momentos de la tarde?

DON JOAQUÍN

Esta tierra española es admirable a todas horas.

LA CONDESITA

¡Qué hora tan henchida de emoción, en la tierra de Castilla,
ésta en que la tarde va declinando! ¡Qué bonita esa estrella!

DON JOAQUÍN

Maravillosa.   5

LA CONDESITA

¿Resplandecen tanto como aquí en América las estrellas?

DON JOAQUÍN

Sí, y hay ojos que las contemplan con los mismos anhelos.

LA CONDESITA

¿Y dicen las mismas cosas que aquí?

DON JOAQUÍN

Dicen . . . dicen . . . cosas del corazón.

LA CONDESITA

Las estrellitas hablan a todos.   10

DON JOAQUÍN

Y a unos dicen alegrías y a otros dicen penas.

LA CONDESITA

Y a usted, ¿qué le dicen?

DON JOAQUÍN

A mí me dicen temor.

LA CONDESITA

Temor, ¿de qué?

DON JOAQUÍN

Temor de no lograr la felicidad que deseo.   15

LA CONDESITA

El cielo nos liga más a la tierra.

DON JOAQUÍN

¿Por qué?

LA CONDESITA

Porque la contemplación del cielo, de la inmensa bóveda azul, nos hace meditar . . . Y esa meditación nos hace evocar a nuestros antepasados, los seres a quienes hemos querido, y que vemos, con el pensamiento, unidos a la casa, a la
5 ciudad, a la patria, en que vivieron y en que vivimos ahora nosotros.

DON JOAQUÍN

Es verdad, Pepita. Y cuando el azar de la vida nos lleva a conocer, a estimar, a amar a una persona de distinta patria que la nuestra, parece que en nuestro espíritu se abre como
10 una ventanita iluminada.

LA CONDESITA

Iluminada con otra luz que nuestros ojos no han visto nunca.

DON JOAQUÍN

¿No quiere usted contemplar esa luz nueva, Pepita?

LA CONDESITA

Me atrae esa lucecita de la ventana iluminada y tengo al
15 mismo tiempo miedo.

DON JOAQUÍN

Miedo, ¿de qué?

LA CONDESITA

De perder mi serenidad espiritual; de perder lo que amo más que todo: ese dulce lazo que me liga al pasado.

DON JOAQUÍN

¿Y no ganará usted nada en cambio, Pepita? ¿No ganará
20 usted el fundar en el viejo tronco un árbol nuevo? La humanidad es eso: renovación, continuación del pasado; pero añadiendo al pasado una fuerza nueva.

LA CONDESITA

¡Ay! Me atrae, por un lado, la ventanita iluminada, y siento también, por otro, hasta el fondo del alma, el amor a
25 esta vieja tierra de Castilla (*Pausa.*)

DON JOAQUÍN

La tarde declina, Pepita.

LA CONDESITA

Y las estrellitas van pronto a brillar.

DON JOAQUÍN

¿Quiere usted que veamos cómo desciende el crepúsculo sobre la ciudad lejana?

LA CONDESITA

Desde aquel altozano se ven lucir los cristales de la ciudad 5 cuando los hiere el sol poniente.

DON JOAQUÍN

Vamos, vamos, Pepita.

LA CONDESITA

¿Quiere usted contemplar el crepúsculo?

DON JOAQUÍN

Y quiero que el crepúsculo sea para nosotros una aurora.
(*Se van alejando hacia el fondo la Condesa y don Joaquín.*)

MÍSTER BROWN

(*Apareciendo por la ventana de la casa.*) ¡*Old Spain!* 10
¡Siempre la vieja España!

FIN

NOTES

Page 5 line 4 **¿Yo no poder oír:** Mr. Brown is a circus clown, and his ungrammatical language is intended to add to the comic effect of the scene. In the later scenes of the play his Spanish is beyond reproach.

5: 7 amigo: in this construction the word is an adjective. Translate "I am very fond of you."

6: 9 habría: the use of the indicative indicates that, granted the truth of the condition, the conclusion follows of necessity. The subjunctive after *si* indicates a condition we admit to be unreal, and consequently a conclusion we consider impossible. Generally however *si* does not permit the conditional tense. (See section 433 of the grammar of the Real Academia.)

6: 15 Abur: the word means both "hello" and "good-by," the latter more commonly. The origin is uncertain, perhaps Latin *augurium.*

8: 4 Pierrot, Pantalón, etc. These are characters of the so-called *commedia dell' arte,* originating in Italy, and at various times since the sixteenth century much in vogue in France, and later in England. The same characters appear in many different plays.

9: 25 concha: in the Spanish theater this is a screen behind which the prompter stands to direct the players.

11: 7 como lo sea el que más: translate "as anybody could be."

12: 8 rezar sus horas: translate "recite the required prayers."

12: 9 Ni que fuera un ángel: translate "An angel couldn't be better."

14: 10 ¡Toma que si habla! ¡Más párrafos echamos los dos! Translate "I'll say he talks! We have more chats together!"

15: 5 A los dos días: translate "Two days after he arrived."

15: 9 ¡qué cosa tan rara! translate "What a remarkable thing!"

15: 13 Mutis: translate "exit." The word is used by the prompter to direct an actor to leave the stage.

16: 3 ¡Jesús y qué de disparates se le ocurren! Translate "My word! What nonsense he does think up!"

16: 11 pero lo que es español, no es: translate "but as for being Spanish, he certainly is not!"

16: 14 será: the future lends an air of doubt. Translate "The name seems to be Spanish." **¿qué quiere usted que le diga?** translate "but how shall I express it?"

16: 23 olé chipén: as Lucita explains, this is an effort to reproduce the sound of the English words "Old Spain."

17: 5 ¡Vaya usted a saber! Translate "Heaven only knows!"

17: 19 ¿No se dice así? Translate "Isn't that the way it goes?"

18: 12 contentaba: the thought would be more naturally expressed by the conditional tense.

18: 18 ha salido: the idea is that no conversation would be complete without some mention of the eccentric don Joaquín.

18: 19 ¡Poco que hablaron de él: translate "They certainly talked about him!"

19: 3 mollera: this is the fontanel, *i. e.*, one of the soft pulsating spots on the head of a very young infant. Translate "what a soft head you have to believe that!"

19: 5 ¡Cómo quiere usted que ande? Translate "What do you expect?"

19: 12 Lo que fuere sonará: translate "What will be, will be."

19: 22 que si don Joaquín esto, etc.: translate "whether don Joaquín is this, whether he is that."

20: 3 ¡Dale con los millones! Translate "That fairy tale about the millions!"

20: 5 o lo que sea: translate "or something of the sort."

20: 6 ¡Como no tenga: translate "I bet he hasn't."

21: 19 hombre de Dios: translate "my good fellow."

23: 4 ¡Ave María Purísima! Translate "For heaven's sake!"

23: 8 Tenorio: Don Juan Tenorio, famous in legend and literature, is the bold dashing lover, reckless of consequences, heedless of right and wrong, a sensualist, an atheist, but a brave man.

24: 1 Y que tuviera yo sus millones: translate "would that I had his millions!"

25: 7 El pueblo está que arde: translate "The town is in a commotion."

25: 20 Llevo aquí cerca de mes y medio: translate "I have been here about a month and a half."

26: 13 ¿cómo no se le conoce? Translate "Why don't you look like one?"

28: 13 San Damián: later in the play this is mentioned as one of the several churches in the town.

30: 13 ¡Qué bien me está! Translate "How well it becomes me!"

31: 12 ¡Turidu! Turiddu, in Mascagni's opera *Cavalleria Rusticana,* is a rustic character who at the end of the opera is slain in a love quarrel. The word in this play serves as a stock exclamation of Mr. Brown at the fantastic course of events.

32: 16 ¡Olé los hombrecitos! Translate "Hurrah for you!" **una pecera:** the nonsensical expressions of this and the following lines are probably best taken at face value, simply as whimsical ideas in keeping with the spirit of the scene. What undercurrent of humor may be in the slang connotations of such words as *chaleco* and *peine* adds little to the clarity of the passage. Joaquín is serious in making his offer to Mr. Brown, while Mr. Brown does not intend to be taken in by such nonsense, as he deems the offer to be.

39: 9 El salón hace tiempo que está cerrado: translate "The salon has been closed for a long time." Compare the similar construction on page 40: 22.

42: 15 ¿Quién dice que no? Translate "And why not?"

46: 12 La Divina Pastora: the subsequent pages show that this Pastora is an image of the Virgin Mary. It is not uncommon for such images to make the rounds of a village, held in veneration by the people and considered to bring a blessing upon the home that shelters them.

46: 14 He dado la vuelta al barrio: translate "I have been to each house in the district."

46: 16 Cada ocho días: translate "Every week."

49: 3 país vasco: The three northern provinces of Spain, Álava, Vizcaya, and Guipúzcoa, are known as the Basque country. They form a triangle bounded on the north by France and the Bay of Biscay. Although under Spanish government, the Basque people are of distinct race. The generally accepted theory of their origin relates them to the early Iberian inhabitants of Spain.

58: 8 Pero el que: translate "But the fact that I was interested."

63: 4 tiempo de los franceses: the time of the French domination of Spain to the patriotic Spaniard is one of the darkest periods of Spanish history. See Introduction.

63: 5 ¡Tiene la culpa el Gobierno! Translate "It's all the fault of the government!"

64: 13 ¿Qué no se quiere casar? Translate "What! She doesn't want to get married!"

64: 14 ¡Que no se case! Translate "Well then, let her refuse to marry!"

67: 14 ¡Qué animal! Translate "For heaven's sake!"

67: 15 ¡Qué bruto! "Dear me!"

68: 1 ¿Usted sí que estará enterado de lo del collar: translate "You surely know about the necklace?"

70: 14 Pues las va a tener y gordas: translate "Well, he's going to have plenty of them!"

76: 3 Agua va: translate "Look out!" This conventional warning reflects the primitive manners of small European towns before the advent of modern disposal systems, when dirty water was simply thrown out of the window into the street.

77: 12 Esto ya está visto: translate "We've seen all there is to see."

78: 18 Dulcinea del Toboso: this is the name that don Quijote gave to the lady of his dreams.

79: 1 Don Quijote de la Mancha: the sublime hero of Cervantes embodies every virtue but common sense. His imagination peopled his world with the giants and drawfs, fairies and demons, of the romances of Chivalry so popular in his day. Pepita, in staging for the benefit of don Joaquín this scene reminiscent of Cervantes' novel, is meeting that eccentric man in a spirit of whimsical nonsense well calculated to stir his enthusiasm. **¡Ya escampa!** Translate "Now he appears! Don Quijote himself!"

79: 12 Sancho Panza: the squire of don Quijote, who, lacking the high vision of his master, is yet more child-like in his faith in the supernatural.

79: 12 o sea: translate "that is to say."

EJERCICIOS

I

(Páginas 5-9)

A. *Contestar en español.*

    1. ¿Quiénes están en escena al principiar el prólogo?

    2. ¿Cómo está vestido míster Brown?

    3. ¿Qué gusto desea tener míster Brown?

    4. ¿Por qué no debe saber míster Brown lo que dice el actor?

    5. ¿Sobre qué han mantenido una discusión el director y el autor?

    6. ¿Qué temen los dos?

    7. ¿Es amigo del actor míster Brown?

    8. ¿Quién es el protagonista de la comedia?

    9. ¿Es español el protagonista?

   10. ¿Cómo quiere venir a España?

   11. ¿Por qué trata su tío de disuadírle de su intento?

   12. ¿Sale con la suya el millonario?

B. *Traducir.*

    1. He could not hear what his friend was saying. 2. If he did not go away, the play could not continue. 3. They have both agreed to cut out the prologue. 4. He wants to finish speaking with his friends. 5. Let him speak! 6. Mr. Brown will bring his friends to defend him. 7. He is very anxious to have a part in the play. 8. He pretends he is poor in order to live unknown in this Spanish city. 9. The performance was to begin at once. 10. How he was going to laugh!

II

(Páginas 10-16)

A. *Contestar en español.*

    1. ¿Por qué llora doña Marcela?

    2. ¿Se acuerda Lucita de su padre?

    3. ¿Habían sido siempre pobres estas dos señoras?

4. ¿Cuántos huéspedes tenían? ¿Quiénes eran?

5. ¿Cuál era el nombre artístico del señor Moreno?

6. ¿Por qué estaba el señor Brown en Nebreda?

7. ¿En qué se ocupaba don Joaquín?

8. ¿A quién llevaba Juliana el chocolate?

9. ¿Cuál era la manía de don Joaquín?

10. ¿Era de todo lujo el traje de don Joaquín?

B. *Traducir.*

1. Every morning Mr. Cicuendez used to play the flute. 2. Doña Marcela kept a boarding house. 3. But the important thing was that the work should be respectable. 4. They had enough money to get along. 5. They always got up very early. 6. The doctor says that they need a rest. 7. I suspected what don Joaquín was. 8. Don Joaquín's mysterious air worried doña Marcela. 9. She had the conviction that he was not what he seemed to be. 10. No one could be more eccentric than he.

III

(Páginas 16–22)

A. *Contestar en español.*

1. ¿Por qué creía Juliana que don Joaquín no era español?

2. ¿Quién imitaba a don Joaquín?

3. ¿Por qué deseaba don Claudio unas cuantas pesetas?

4. ¿Dónde habían hablado de don Joaquín?

5. ¿Por qué pidió el señor Cicuendez que las señoras se sentasen?

6. ¿Qué gritó el señor Cicuendez?

7. ¿Por qué estaba asustada doña Marcela?

8. ¿Dónde se habían reunido los señores?

9. ¿Quién era Perico? ¿Qué gritó?

10. ¿A qué hora había salido don Joaquín?

B. *Traducir.*

1. What a good heart don Joaquín has! 2. Perhaps he is rich. 3. His name is Spanish, but he speaks with an accent. 4. He says that Spain is picturesque. 5. It is better to travel slowly. 6. Don Claudio thinks that don Joaquín is a person of importance. 7. Don Joaquín is not going to start a revolution. 8. There is no reason for any alarm. 9. Doña Marcela said that there wasn't any news. 10. That was nothing to joke about.

IV

(Páginas 22–28)

A. *Contestar en español.*

1. ¿Quién había visto a don Joaquín?
2. ¿Dónde estaba Cirilo Parra?
3. ¿Qué hora era?
4. ¿Esperaba don Joaquín a una mujer?
5. ¿Quién se apeó del automóvil?
6. ¿Qué haría el señor Cicuendez si tuviese los millones de don Joaquín?
7. ¿Qué preguntaba todo el pueblo a aquellas horas?
8. ¿Era español don Joaquín?
9. ¿En qué pensaba Lucita?
10. ¿Quién había pasado por la Alameda Vieja?

B. *Traducir.*

1. Some are for and some against don Joaquín. 2. I told him all about it. 3. What difference does it make if I was there? 4. A magnificent auto came along the Madrid road. 5. The gentleman spoke with a slight foreign accent. 6. He has been there about a month and a half. 7. He thought that work was an excellent thing for everybody else. 8. Must a millionaire be serious? 9. He liked the countess very much. 10. He sat down in a chair in the middle of the room.

V

(Páginas 28–38)

A. *Contestar en español.*

1. ¿Le gustaba a don Joaquín Nebreda?
2. ¿Había vuelto el marqués de su viaje?
3. ¿Qué dió don Joaquín a Lucita?
4. ¿Se puso el sombrero don Joaquín?
5. ¿Qué haría el señor Brown si fuese millonario?
6. ¿Cuánto necesitaba para ser feliz?
7. ¿Quién dió un cheque a don Claudio?
8. ¿Qué iba a hacer con las cincuenta mil pesetas?
9. ¿Quién otro recibió también un cheque?
10. ¿Por cuánto era este cheque?

B. *Traducir.*

1. Was he going to take a walk? 2. He had to go to see the palace. 3. Mr. Brown was dressed as a clown. 4. He had his pesetas, but it seemed like a dream. 5. He walked silently about the room. 6. He fainted when the gentleman handed him the check. 7. Doña Marcela wanted him to take the money to a bank. 8. How strange that was! 9. They called don Joaquín. 10. Then they all began to dance in the middle of the room.

VI

(Páginas 39-46)

A. *Contestar en español.*

1. ¿Quién no tardará en volver?
2. ¿De quién es el retrato?
3. ¿Cómo era entonces la casa?
4. ¿Cuántos años hace que murió la señora?
5. ¿Tenía gusto el marqués en conversar con don Joaquín?
6. ¿Dónde pasa don Joaquín un rato por las mañanas?
7. ¿Creía la señorita que la actividad hace el encanto de la vida?
8. ¿Cómo se figura la señorita que es la vida en Nueva York?
9. ¿Piensa de otra manera don Joaquín?
10. ¿Qué había escrito don Joaquín?

B. *Traducir.*

1. In this room there was a portrait of a knight in armor 2. After his wife died, the marquis did not wish to see anyone. 3. His palace was the most beautiful in Nebreda. 4. Did the countess recognize Mr. Brown? 5. The two men stood up and shouted "Hurrah for Spain!" 6. In the afternoon he used to read a little, and go for walks in the country. 7. People are not surprised at extravagances in New York. 8. He was surprised she should say the very things he thought. 9. He had written these things in his notebook. 10. He thought small town life was a little tiresome.

VII

(Páginas 46–54)

A. *Contestar en español.*

1. ¿Cuándo viene la Pastora a casa?
2. ¿Qué clase de sombrero llevaba la Pastora?
3. ¿Cómo es la Pastora?
4. ¿Cuál es el ideal de la condesita?
5. ¿Tenía la condesita los ojos pequeños?
6. ¿Tenía las mejillas pálidas?
7. ¿Cómo dispuso el marqués de su tiempo?
8. ¿Condena el marqués la vida moderna?
9. ¿Importa que la humanidad llegue a alguna parte en un momento señalado?
10. ¿Desdeñaba el marqués el progreso?

B. *Traducir.*

1. It is your turn to have the shepherdess in your home. 2. He forgot what he was talking about. 3. He felt no anxiety. 4. He wishes a year would pass immediately. 5. He thought there could be great activity within an inactive man. 6. Humanity must not travel rapidly. 7. It makes no difference when we arrive. 8. It was all the same to him whether he got there in six hours or in twelve. 9. The important thing is how we arrive. 10. The marquis felt a profound liking for him.

VIII

(Páginas 55–62)

A. *Contestar en español.*

1. ¿Que le atraía a don Joaquín al contemplar un viejo palacio?
2. ¿Por qué se sentía atraído al penetrar en una catedral?
3. ¿Por qué había que abolir el pasado?
4. ¿Por qué cosas está dominado el mundo?
5. ¿Dónde había vivido el marqués?
6. ¿Cómo supo la condesita que don Joaquín era de muy lejos?
7. ¿Entre qué ideales hay una oposición irreductible?
8. ¿Qué enamoraba a don Joaquín?

9. ¿Para qué son precisas las extravagancias?

10. ¿Qué hacía don Joaquín en la Alameda Vieja?

B. *Traducir.*

1. He did not notice the time pass as he talked with the workman. 2. The old woman was dressed in black. 3. The castle was located on a hill. 4. Sometimes they carried away whole palaces, but they could not take away the atmosphere of perfection. 5. His wife died six years ago. 6. He gave orders to have the palace opened. 7. What I suspect is that love is above all. 8. How could he imagine that she was talking about him? 9. He went to get the key without my seeing him. 10. He looked at her from a distance.

IX

(Páginas 63–71)

A. *Contestar en español.*

1. ¿De qué hablaban los periódicos de Madrid?
2. ¿Qué habían publicado don Joaquín?
3. ¿Qué había prometido don Joaquín?
4. ¿Dónde estaba el millón de pesetas?
5. ¿De quién había recibido un telegrama el alcalde?
6. ¿En cuánto se calculó la fortuna de don Joaquín?
7. ¿Por qué había de casarse la condesita?
8. ¿Quién había desaparecido del pueblo?
9. ¿Dónde estaban la condesita y Águeda?
10. ¿A quién esperaban?

B. *Traducir.*

1. It was the fault of the government. 2. The worst of it was that don Joaquín did not have the million pesetas. 3. He had just received a telegram from the bank. 4. Who had arrived at the station? 5. The marquis would not say where his daughter was. 6. She was going to give don Joaquín a lesson. 7. What had the messenger related? 8. Will don Joaquín be long in arriving? 9. Águeda did not want the countess to lose that good match. 10. Why did we wish more than we had?

X

(Páginas 72–83)

A. *Contestar en español.*

1. ¿Qué temía la condesita?

2. ¿Cómo había que tratar a don Joaquín?

3. ¿Qué mandó el corazón de la condesita?

4. ¿Cuánto pensaba dar don Joaquín a míster Brown por llamar a la puerta?

5. ¿En qué trajeron a Dulcinea?

6. ¿Por qué debía propinarse Sancho Panza doscientos azotes?

7. ¿A qué horas es admirable la tierra española?

8. ¿Qué decían las estrellas a don Joaquín?

9. ¿Qué se veía desde el altozano?

10. ¿Qué quería don Joaquín?

B. *Traducir.*

1. She had given them thorough instructions. 2. Servando had better eyes than anyone for seeing the autos as they came along the road. 3. Everything was going to change for the countess. 4. Mr. Brown would have liked to have five o'clock tea. 5. Let's go. We've seen all there is to see. 6. He asked whether the house belonged to the marquis. 7. The lady unveiled and laughed heartily. 8. Did he enjoy the last moments of the evening? 9. He attained the happiness that he desired. 10. The countess was afraid of losing what she loved more than anything else.

XI

TEMAS

1. El carácter de don Joaquín; ¿es típicamente Americano?

2. Contrastar lo nuevo y lo viejo de la España contemporánea.

3. ¿En qué consiste el humor de Azorín?

4. La cortesía de los carácteres españoles.

5. La vida en una casa de huéspedes.

6. Don Joaquín un Quijote moderno.

VOCABULARY

A

a to, at, with, from, in

abajo down; **el — firmante** the undersigned

abolir to abolish

abrazar to embrace

abrazo embrace

abrir to open

abrochar to button, fasten

absolutamente absolutely

aburrido weary, tired, vexed, tiresome

aburrimiento despondency, weariness

aburrir to weary, vex; **—se** to grow weary, be bored

acabar to end, finish; **— de** to have just; **voy a — de hablar** I am going to finish talking

acaso perhaps

acceder to accede, agree

accesorio accessory

acción action

acento accent

acercarse to approach

acertar to hit the mark, succeed

aclamación acclamation, applause

aclamar to acclaim, applaud

acompañar to accompany

acordar to agree; **—se de** to remember

acostumbrar to accustom, habituate

acotación annotation, stage direction

actividad activity

activo active

acto act

acuático aquatic

acudir to run up, hasten

acuerdo opinion; **de —** agreed, of the same opinion

adelantado: por — in advance

adelante forward, onward; go on, come on

adiós good-by

adivina prophetess

adivinar to guess

admirar to admire

admitir to admit

adonde where

¿adónde? where?

advertir to notice, observe

afanoso laborious, fatiguing

afecto affection

afueras f. pl. suburbs

agitar to agitate

agua water

97

Agustina nun of the order of St. Augustine

ahí here

ahogarse to choke, smother

ahora now; — **mismo** just now, immediately; **hasta** — see you later, good-by

aire *m.* air

Alameda grove of poplar trees, public walk

alargar to extend, hold out

alarma alarm

alarmar to alarm

alborotar to disturb, vex. confuse

alcalde *m.* mayor

aleccionar to instruct

alegre happy

alegría joy, happiness

alejarse to go off, go away

algo something, anything

alguien someone

algún, alguno some, any, someone, any one; **a (en) alguna parte** somewhere

aliviar to relieve, alleviate

alma soul

almena turret, battlement

alrededor around, round, round about

alto high, tall; **a lo** — on high, in the air; **allá por lo** — up there

altozano height, hill

allá there; — **por lo alto** up there

allí there

amabilidad amiability, kindness

amable amiable, kind

amadísimo dearly beloved

amapola poppy

amar to love

ambicionar to covet

ambiente *m.* atmosphere

americana sack-coat

amigo friend

amistad friendship

amor *m.* love

ancho broad

anciano old man

andaluz Andalusian (of the province in southern Spain)

andar to go, walk; **¡Anda con Dios!** Good-by! God bless you! **¡Anda!** Heavens!

andarín *m.* walker

ángel *m.* angel

anhelo desire, yearning

animal *m.* animal, ignorant fellow

anoche last night

ansiedad anxiety

ante before

antepasados *m. pl.* ancestors, forefathers

antes before, formerly, in former times

antiguo old, ancient, of former times

antijoaquinista *m.* opponent of don Joaquín

antipático unpleasant, disagreeable

añadir to add

año year

apache *m.* Apache, robber, thief

aparecer to appear

apartado remote, lonely

apasionado passionate, devoted

apearse to dismount, get out

apellido name

apenas scarcely

apetito appetite

aplaudir to applaud

aplauso applause

apoyar to lean, rest, support

aprensión apprehension, fear

aprontar to prepare hastily, get ready, pay promptly

aprovecharse to avail oneself, take advantage

apuntador *m.* prompter

aque-l, -lla that

aquí here

árbol *m.* tree

archimillonario multimillionaire

arder to burn, be agitated

armadura armor
armario wardrobe
armonía harmony
aro hoop
arte *m. and f.* art
artesano workman, mechanic
artista *m.* artist
artístico artistic; **nombre —** stage name
arrancar to tear out
arreglar to arrange; **—se** to manage, get along
arriba above, over, up, upstairs
arrimar to approach, draw near; **—se** to lean on
arrojar to throw, cast
ascender to ascend, climb, amount to
ascua spark, sparkle, gleam
asentar to place, locate, build
así thus, so; **— como** just like
asiento seat
asomar to show, cause to appear; **—se** to appear, look out
asombrarse to be astonished, be terrified
asustar to frighten
atención attention
atentamente attentively, politely
atraer to attract
aún still, yet
aurora dawn
automóvil *m.* automobile
autor *m.* author
avanzar to advance
Ave Hail (salutation to the Virgin; also a prayer of invocation to the Virgin)
avisar to inform
¡Ay! oh! alas!
ayer yesterday
ayudar to aid, help
ayuntamiento governing body of a town, town hall (usually **casa de ayuntamiento**)
azar *m.* chance, fortune

azote *m.* lash, blow
azul blue

B

bailar to dance
baile *m.* dance
bailotear to dance awkwardly
bajar to descend, go down, get down
bajo low
balcón *m.* balcony
banco bank
bandeja tray
bandolero bandoleer, soldier
barbaridad barbarity, rudeness, outrage; **¡Qué —!** How amazing! How terrible!
bárbaro barbarous, heathenish
barras *f. pl.* bars; **— fijas** horizontal bars
barrio district, ward, suburb
bastante enough, sufficient, a good deal
bastón *m.* stick, cane
beber to drink
bellísimo lovely, very nice
bello beautiful
beso kiss
bien well, quite: *m.* good, welfare; **estar —** to be in good health, be all right
blanco white
bobería nonsense
bolsillo pocket-book
bomba bomb
bondad kindness
bonísimo very good, excellent
bonito pretty
borlita small tassel
borrar to blot out, efface, abolish
borreguito little lamb
bóveda arch, vault
brazo arm
breve brief
brillar to shine

broma joke; **cosa de —** joking matter; **tomar a —** to take as a joke
bromear to joke
bruñir to burnish
bruto brute; ignorant person
buen, bueno good, handsome
buscar to seek

C

caballero gentleman, knight
cabeza head
cabo end; **al —** finally; **al — de todo** after all
cacha handle, hilt (of a knife)
cachicán *m.* overseer
cachiporrazo tap, blow (with a club)
cada each; **— ocho días** every week; **— vez más** increasingly
caer to fall; **— de espaldas** to fall flat on one's back
calcular to calculate
calma calm
calmar to calm
calor *m.* heat
calladamente quietly
callar to be silent
calle *f.* street
callejita narrow street
cambiar to change
cambio change; **en —** on the other hand
caminar to travel, go
campechano frank, gay
campiña field
campo field, country
canción song; **la — de siempre** the same old story
candileja lamp, light
cansar to tire
cantidad quantity
canturrear to hum
capellán *m.* chaplain, priest

capitán *m.* captain
capricho fancy, whim
¡Caramba! Indeed! Heavens!
¡Caray! Heavens!
carcajada loud laughter
cargante tiresome
cargo employment, office, position
cartel *m.* poster, handbill
cartera portfolio, pocket-book
carretera road
casa house; **— de huéspedes** boarding house; **a —** home; **— de películas** moving-picture company
casamiento marriage
casar to give in marriage; **—se con** to marry
casillas *f. pl.* pigeonholes
casita little house
caso case; **hacer —** to pay attention
castellano Castilian, Spanish; Spaniard
Castilla Castile
castillito little castle
castillo castle
castizo of noble descent, of good breed
catedral *f.* cathedral
cautelosamente cautiously
cayado shepherd's crook
ceder to grant, yield, give
ceniciento ash-colored
céntimo, céntimo, the hundredth part of a peseta
centinela *m.* sentry, sentinel
centro center
cerca near, about
cercano near, neighboring
cerradura lock
cerrar to shut, close
cestito little basket
cielo sky
cien, ciento hundred, one hundred
cierto certain, a certain, sure; **lo —** the evident fact

cinco five; **te de las —** five-o'clock tea

cincuenta fifty

circo circus

circular to circulate

ciudad city

ciudadano citizen, fellow

civilización civilization

clamoroso loud, noisy

claro clear; ¡—! of course! evidently!

clase *f.* class, kind

clásico classic, classic author

cocina kitchen, cooking

codo elbow

coger to seize, take, pick up, get

colgar to hang

colina hill

colocar to place

colorear to color

collar *m.* string (of pearls)

comedia comedy

comediante *m.* actor, comedian

comedorcito little dining-room

comenzar to begin

comer to eat

cómico comical, funny

comida dinner, food

como as, like; ¿—? how?

compañía company

complejo complex

complicación complication, confusion, trouble

comprar to buy

comprender to understand

con with

concebir to conceive, imagine, understand

conceder to give, grant

concha shell, screen

condenar to condemn

condesa countess

condesita (young) countess

condicional conditional

confidencia confidence

conmigo with me

conmover to disturb, affect

conocer to know, be acquainted with, make the acquaintance of

conque accordingly, so then

consideración consideration

conspirador *m.* conspirator, traitor

Constantinopla Constantinople

contar to relate, tell

contemplación contemplation

contemplar to contemplate

contentar to content, satisfy

contestar to answer

contigo with thee, with you

continuación continuation

continuar to continue

contra against; **en — de** against

contrario contrary, opposite; **por el —** on the contrary

convecino neighbor

convento convent

conversar to converse, talk

corazón *m.* heart

correr to run, circulate; **— el telón** to drop the curtain; **— mundo** to travel

corresponder to return a favor, make a suitable return

corresponsal *m.* correspondent, newspaper reporter

corriente current; *f.* current, course

cortesía courtesy

cosa thing, idea; **— de broma** joking matter, trifle; **otra —** anything else, something else; **¡Gran — !** Splendid!

costumbre *f.* custom

creación creation, presentation

creado-r, -ra creator

crear to create

creer to believe, think

crepúsculo twilight

cristal *m.* crystal, glass

Cristo Christ

criterio criterion

cuadernito little note-book

cuadro picture, painting, scene, setting

cual: el —, la — which, that, who, whom; **lo —** which; **un tal . . . un —** this or that

¿cuál? what? which?

cualquiera any one

cuando when, even if; **de — en —** from time to time

cuanto as much as, all that, whatever; **unos —s** some few

¿cuánto? how much? *pl.* how many? **¡Cuántas ganas tengo!** How anxious I am!

cuarto room

cuatro four

cubrir to cover, conceal

cuenta account, bill

cuerpo body

cuestión question

culpa fault

cuñada sister-in-law

curiosidad curiosity

curioso curious, odd, strange

curso course

CH

chaleco vest

charlar to talk, chat

cheque *m.* check

chico little boy; *pl.* children

chiquita little girl

D

¡dale! nonsense!

dama lady

daño harm, damage

dar to give; **¿Qué más da?** What is the difference? **— un paseo** to take a walk; **— la vuelta** to make the round of; **— vueltas** to go back and forth; **— lo mismo** to be the same

dato fact

de of, as, by, from, than, with, on, for

deber to owe, ought, must; **debe de haber viajado** he must have traveled

débil weak

decente decent, respectable

decidir to decide

decir to say, tell

decisivo decisive

declinar to decline, come to a close

decoración decoration, scenery

decoroso fitting, becoming, decent

defender to defend, protect

dejar to allow, permit, let, leave, abandon; **— de** to fail to, cease to

delante before, in front (of one)

delicado delicate

delicioso delightful

demás rest, others

demasiado enough, well enough, too much

dentro within, in

dependencia dependence, adjoining part, dependent part

deplorar to deplore, regret, lament

depositar to deposit

derechamente directly

derecho right; **a la derecha** at the right

derrengar to cripple

desagradar to displease

desaparecer to disappear

desatino nonsense, extravagance

descanso rest

descender to descend, go down

desconocido unknown

descripción description

descubrir to discover, reveal, unveil

descuidado free from care, reassured

desde from, since; **— luego** thereupon, immediately; — **que** since, when, as soon as

desdeñar to disdain

desear to desire

desenvolver to unfold

deseo desire

desesperarse to despair, be in despair

desgañitarse to shriek, scream

desgraciado unhappy

deshonra disgrace

desistir to desist, cease

desmayarse to faint

despacito slowly

despacho office

desparramar to scatter, spread

desplomar to fall flat, collapse

despreciable contemptible, worthless

desprevenido unprepared

después after, afterward

detención stop, delay

detener to detain, stop

detrás behind; **por —** from behind

día *m.* day; **el — de mañana** tomorrow, soon

diablo devil; **¡—!** The deuce! Confound it!

diálogo dialogue

dichoso, happy, fortunate, prosperous; tiresome

difícil difficult

difuso diffuse, copious

dignísimo very worthy

dinero money

Dios *m.* God

director *m.* director; **— de escena** stage director

dirigir to direct, aim, turn; **—se** to go to, turn to, address

discretísimo very discreet, sensible

discusión discussion

disfrazar to disguise

disgustar to disgust, displease

disparate *m.* nonsense, absurdity

disparo shot, report

disponer to dispose, arrange, prepare

disputa dispute

distinguir distinguish, differentiate

distinto different

distraer to distract, amuse

distribuir to distribute

disuadir to dissuade

divino divine

doce twelve

doctrina doctrine

dólar *m.* dollar

dominar to rule, command

domingo Sunday

don *m.* Mr., Don (a title of honor used before Christian names)

donativo donation, gift

donde where

¿dónde? where?

doña lady (an honorary title prefixed to the Christian name)

dormir to sleep

dos two

doscient-os, -as two hundred

dudar to doubt

dueña mistress, ruler, woman

dulce sweet

durante during

duro five pesetas, Spanish dollar

E

e and

¡ea! well!

echar to throw, throw out, talk, utter, put

edificio edifice, building

efecto effect; **en —** in fact

ejemplo example

el the; *pl.* **los;** *f.* **la, las; el que** he who, who, which; **el de** that of

él he, him, it

elegante elegant
elegantísimo very elegant
elocuencia eloquence
ella she, her, it
embargo embargo; sin — nevertheless, however
emoción f. emotion
empeñado strenuous, heated
empeñarse to insist
emperador m. emperor
emprender to undertake
empresa enterprise, undertaking
en in, on, at
enamorar to charm, delight
encantado-r, -ra charming, delightful; m. magician, enchanter
encantamiento enchantment
encantar to charm, delight, enchant
encanto charm
encargar to charge
encarguito commission, charge
encima above, over; por — de above
encontrar to find; —se to be
enemigo enemy
enfrente opposite, in front
enfriarse to get cold
enlutar to veil
ennoblecer to ennoble
enseñar to show
enterar to inform
entender to hear, understand
entero entire
entonces then
entrar to enter
entre between, among
entregar to hand over, give, devote
entusiasta enthusiastic
enviar to send
erguido erect, straight
escalera staircase, stairs
escampar to cease working, escape
escandalizar to scandalize, shock

escándalo scandal
escaparse to escape
escape m. escape; a — as quickly as possible
escena stage, scene
escenario scene, stage
escénico scenic, theatrical
esconder to hide
escribir to write
escrupuloso scrupulous, careful
escuchar to listen
escuela school
es-e, -a that
és-e, -a that, that one; neut. eso that; eso es that is true
esfuerzo effort, strength, courage
espalda shoulder
España Spain
español-l, -la Spanish; Spaniard
especial special
especie f. species, kind
espectador m. spectator, observer
espera wait, delay, interval
esperar to await, wait, expect
espesito thick
espíritu m. spirit
espiritual spiritual, lively, witty
espléndido splendid, magnificent
espontaneidad spontaneity
esquina corner; — a la del Reloj at the corner of Reloj Street
estación station
estado state; —s Unidos United States
estar to be; — bien to be in good health, be all right
est-e, -a this; a estas horas at this moment
ést-e, -a this (one), the latter; neut. esto this; en esto thereupon, at that moment
estimar to value, esteem
estorbar to hinder, disturb
estrafalario odd, queer
estrechar to contract, clasp (hands)

estrella star
estrellado starry
estrellita little star
evocar to evoke, bring to mind
excelente excellent
exclamación exclamation
exigir to exact, demand
experiencia experience
explicar to explain
expresar to express
extranjero foreigner, foreign; **en cl —** in foreign lands
extrañar to surprise, appear strange
extravagancia eccentricity, extravagance
extravagante extravagant, eccentric
extremo end

F

fábrica factory
fácil easy
facilidad facility, ease
fachada façade, front
faena work, labor
falta fault, error; **hacer —** to be necessary
faltar to lack, fail, miss
familia family
fantasía fancy, fantasy, fiction
fantástico fantastic, vain, presumptuous
farsa farce
farsante *m.* actor, clown
fatalista *m.* fatalist
favor *m.* favor; **por —** please
fe *f.* faith
febril feverish
fecundo fertile, fecund
felicidad happiness
feliz happy
fervoroso fervent, warm
figurar to fancy, imagine, pretend
fijar to fix; **—se** to notice

fijo fixed, permanent; **barras fijas** horizontal bars
fin *m.* end, purpose; **en —** finally, after all; **a — de que** in order that
final *m.* end
finca property, farm, estate
fingir to feign, pretend
finísimo very fine
fino fine, excellent, clear
finura fineness, delicacy
firmante *m.* subscriber, signer; **cl abajo —** the undersigned
firmar to sign
flauta flute
flojo weak, loose
flor *f.* flower
flúido fluid, limpid
fondo bottom, back; **al —** in the background
forastero stranger
fortuna fortune
fotógrafo photographer
francé-s, -sa French
frase *f.* phrase, word
frenético enthusiastic, eager, zealous
frente *f.* forehead; **— a —** face to face
frío cold
frito fried
fuera: **— de** outside of, except for
fuerte strong
fuerza force, strength
función performance
fundador *m.* founder
fundar to found, establish
furioso furious, mad, frantic

G

gana desire; **tener —s** to wish; **¡Cuántas ganas tengo!** How much I wish
ganar to gain, win, surpass

gastar to spend, waste

generación generation

gente *f.* people

gentil elegant, exquisite

gloria glory, pleasure

gobernador *m.* governor

goce *m.* enjoyment, pleasure

gordo fat, big

gotera gutter

gracia grace; *pl.* thanks

gracioso graceful, beautiful, witty, nice

gran, grande great, large

gratitud gratitude

grave grave, serious, important

gris gray

gritar to shout, cry out

grito shout

guapo pretty, handsome, good-looking

guardar to keep, deposit

guardia guard, body of soldiers

guillarse to lose one's senses, be crazy

gustar to please, enjoy; **¿No le gusta?** Don't you like?

gusto pleasure, taste

H

haber to have; there is (are); — **de** to have to, be going to, must

habitación room, quarters

habitante *m.* inhabitant

habitar to inhabit

hablar to talk, speak

hacer to do, make; — **caso** to pay attention; — **falta** to be necessary, to be needed; — **de** to act as; —**viento** to be windy; **hace un mes** a month ago; **¡Dios lo haga!** God grant it!

hacia toward

hallar to find; —**se** to be

hasta until, up to, even; — **que** until, as long as; — **ahora** good-by, see you later

hay there is (are); — **que ver** we must see, you ought to see; **¿Qué — ?** What is it? What is the matter?

hecho fact

henchir to fill

herir to wound, strike, shine upon

hermano brother

hermosísimo very lovely

hermoso lovely, beautiful

hermosura beauty

heroísmo heroism

hija daughter

hijo son

hoja leaf

hojita leaf

hombre *m.* man

hombro shoulder

hondo bottom, valley

hora hour, time; *pl.* prayer-book; **a última —** at a late hour; **a primera —** very early; **en buena —** well, fortunately, auspiciously; **a estas —s** at this moment

horizonte *m.* horizon

horroroso horrid, dreadful

hospedarse to lodge, to enter as a lodger

hoy to-day

huésped *m.* guest, lodger; **casa de —es** boarding house

humanidad humanity, mankind

humano human

humildad humility, modesty

hundirse to fall down

I

iglesia church

ignorado unknown

igual equal, even

iluminar to illuminate

ilusión illusion

iluso deluded, bigoted
imagen *f.* image
imaginación imagination
imitar to imitate
impacientarse to become impatient
impaciente impatient
imponente imposing, remarkable
importante important
importar to be important, matter
imposible impossible
imprimir to print, imprint
improvisar to improvise
impulso impulse
inacción inaction
inactividad inactivity
inadvertido unnoticed
inclinar to incline, lean
incomodar to disturb; —**se** to be vexed
incontable countless
incorregible incorrigible, depraved
indefinido indefinite
independiente independent
indiscreto indiscreet, inconsiderate
individuo individual
ineficacia inefficacy
información information, account
ingerir to insert, introduce
inglé-s, -sa English
inmediatamente immediately
inmensidad immensity
inmenso immense, vast
inocente innocent
inquietar to disturb, worry
insignificante insignificant, trifling
insoportable intolerable
intensidad intensity
intentar to try
intento purpose
interés *m.* interest
interesante interesting
interesar to interest
interpretación interpretation
interrogar to question, ask
interrumpir to interrupt

intervención intervention
íntimo intimate
intranquilizar to disturb, make uneasy
inusitado unusual
inútil useless
invierno winter
invitar to invite
ir to go; —**se** to go away; — **diciendo** to be saying; — **pasando** to get along; **vamos** indeed, come, come now; **vamos a ver** let's see; **¡Vaya!** See! Look! Well!
irreductible irreducible, inevitable
irresistiblemente irresistibly

J

¡ja! Ha! Ha!
jadeante panting, out of breath
jarrito little pitcher
jarro pitcher
¡Jesús! Heavens!
joaquinista *m.* partizan (supporter) of don Joaquín
joyero jeweler
junto near, close
juventud youth

L

la her, it, you; *def. art.* the
labor *f.* task, needlework, embroidery
labrador *m.* villager, laborer
labriego peasant
lado side; **al — de** beside, compared with
lamentación lamentation, complaint
lanza lance, spear
lanzar to throw, hurl
largo long; **¡—!** Get out! **a lo — de los siglos** throughout the centuries

lástima pity
lavandera laundress
lazo string, thread
le him, to him, her, to her, you, to you, it, to it
leal loyal
lección lesson
leer to read
lejano far-away, distant
lejos far, far away; a lo — in the distance
lentamente slowly
lentitud slowness
lento slow
les them, to them, you, to you
levantar to raise; —se to rise; al —se el telón when the curtain rises
librar to free
libre free
ligar to bind, tie
ligero light, slight
limpio clean, clear
lindísimo very pretty, lovely
listo ready, clever
lo it, him; *neut. art.* the; — que what; — del collar the story about the necklace; ¡— que me voy a reír! how I am going to laugh!
loco mad, crazy
locura madness, folly
lograr to attain
Londres London
lucecita little light
lucir to shine, glow, display, be brilliant
luego then, presently; desde — thereupon, immediately
lugar *m.* place
lujo luxury
luz *f.* light

LL

llamar to call, knock; —se to be named

llanto weeping
llave *f.* key
llegar to arrive, succeed, come
lleno full
llevar to carry, carry away, take, wear, lead
llorar to weep

M

madre *f.* mother
magnífico magnificent
magra slice of bacon
majestad majesty
mal badly, poorly
malhumorado ill-humored
malo bad
malsín mischievous
mandar to order
manera manner, way; de otra — in another way, in other ways
manía mania
mano *f.* hand; silla de —s sedan, sedan-chair
mantener to maintain
mañana morning, to-morrow; el día de — to-morrow
máquina machine
mar *f.* sea
marasmo marasmus, inactivity, weakness, decline
maravilloso marvelous
marcha march, advance; en — forward
marchar to walk, go; —se to go away
marqués *m.* marquis
más more, most, longer; no lo hará — he won't do it again; no . . . — no longer, no more, not more; nada — only; no — . . . que only
matar to kill
matinal morning
mayor older, greater, oldest, greatest

me me, to me, myself
mecánico mechanical
médico doctor
medio middle, half; en — de in the midst of; — pueblo half the town
meditación meditation
meditar to meditate
medroso fearful, timorous
mejilla cheek
mejor better, best; a lo — at most
melodía melody
menor younger, least, slightest
menos less, least, except; lo — at least; por lo — at least
mensajero messenger
meritísimo most worthy, most excellent
mes m. month
mesa table
meter to place, put
mi my
mí me; — mismo myself
miedo fear; tener — to be afraid
mil thousand
milagro miracle
milagroso miraculous; admirable
millón m. million
millonario millionaire
minuto minute
mío my, mine, of mine
mirar to look, look at, regard
misa mass
misita mass
mismo same, very, own; él — he himself; ahora — just now, immediately; dar lo — to be the same, make no difference
míster m. Mr.
misterio mystery
misterioso mysterious
mitad half
modal fashionable; pl. manners
moderno modern
modesto modest, simple
modificar to modify

modo manner, way, sort; de todos —s at any rate, anyhow; ¿De qué —? How?
mohíno peevish, sullen
molestar to disturb, molest
momento moment; al — immediately, in a moment
monja nun
montaña mountain
montera cap
montón m. heap, pile
moreno brown
morir to die; ¡Muera don Joaquín! Down with Don Joaquín!
motivación motivation
motivo motive, reason
movimiento movement, motion
mozo boy, servant, fellow, young man
muchacho boy
mucho much, a great deal; pl. many; muchas veces often
mueca grimace
mujer f. woman, wife
multimillonario multimillionaire
multitud multitude
mundo world; correr — to travel
murga band
murmuración gossiping, slander
murmurar to grumble, censure
música music
músico musician
muy very; — señor mío My dear Sir

N

nacer to be born
nacimiento birth
nación nation
nada nothing, anything; — más only
nadie nobody, anybody
naturalmente naturally
necesidad need, necessity
necesitar to need

negocio business
negro black
nervio nerve
nervioso nervous
ni neither, nor, not, not even
nieve *f.* snow
ningún, ninguno none, not any, any; **ninguna parte** anywhere
niña pupil (of the eye)
niño child, boy
no not, no; — ... **más que** only
nobleza nobility
noche *f.* night
nombre *m.* name, title; — **artís-tico** stage name
norteamericano American
nos us, to us, ourselves, to ourselves
nosotr-os, -as we, us
nota note
notar to notice
notición *m.* news, extraordinary news
novedad novelty, news
novia sweetheart
nuestro our; **el** — ours
nueve nine; **a las** — at nine o'clock
nuevo new, other, another; **de** — again
nunca never, ever

O

o or
obligación obligation
obligar to oblige
obra work; **por** — **de** by
obrador *m.* workshop; — **de plancha** laundry
observado-r, -ra observing
Oceanía Oceania (a geographic division of the earth comprising Southern Pacific islands between Asia and America)

ocupación occupation, business
ocupar to occupy
ocurrir to occur
ocho eight
oficio office; trade, business
oír to hear; **¡Oiga usted!** Listen! **de oídas** by hearsay; **se oyen voces** voices are heard
ojo eye
oler to smell, find out, discover
olvidar to forget
opinión opinion
oposición opposition
oración prayer
orador *m.* orator
oratorio oratory
orden *m. and f.* order
ordenar to order
oro gold
os you, to you
otro other, another, different; **otra cosa** something else, anything else; **otra vez** again

P

padre *m.* father
país *m.* country
paisaje *m.* landscape, country
palabra word, speech
palacio palace
pálido pale
paloma dove
palomita little dove
pan *m.* bread
papel *m.* paper; rôle
par *m.* pair, couple; **sin** — matchless
para for, in order to; — **que** in order that; **¿** — **qué?** why?
parar to stop
parecer to seem, appear
parecido resembling, like, similar
pared *f.* wall
París Paris
párrafo paragraph

parte *f.* part; **de su —** on her (his) behalf; **alguna —** somewhere; **ninguna —** anywhere
partido match
pasado past
pasar to pass, happen, enter; **¡Que lo pase usted bien!** Good luck to you! **ir pasando** to get along
pasear to walk about, exercise
paseo walk; **dar un —** to take a walk
paso step
pastora shepherdess
pastorcita little shepherdess
patio patio, courtyard
patria country, fatherland
pausa pause
payaso mountebank, clown
paz *f.* peace
peana pedestal
pecera aquarium, glass bowl containing fish
pedir to ask, request
peine *m.* comb
película film; **casa de —s** moving-picture company
pena grief, sorrow
penetrar to penetrate
pensamiento thought
pensar to think; intend
pensativo pensive, thoughtful
peor worse, worst
pequeño small, little
perder to lose, waste
perdón *m.* pardon
perdonar to pardon
perfección perfection
perfecto perfect; **lo —** perfection
periódico newspaper
perla pearl
permanecer to remain
permiso permission
permitir to permit, allow
pero but
persona person
personaje *m.* person

personalidad personality
personalísimo personal, individual
personalmente personally, in person
personilla person
pesa weight
pesadez *f.* dullness, slowness, nuisance
pesado tedious, dull, tiresome
pesar *m.* grief, sorrow
peseta peseta (coin worth at par about twenty cents)
pesetilla peseta
pestiño pancake
pez *m.* fish
pícaro roguish, sly, mischievous
picatoste *m.* toasted bread fried with slices of ham
pie *m.* foot; **estar de —** to stand
piedra stone
pintoresco picturesque
piropo gallantry, compliment
pirueta pirouette, dancing
pista trace, track
placer *m.* pleasure
plancha iron
plata silver
plaza square
pobre poor
pobrecito poor little (fellow)
poco little, a little, somewhat; *pl.* few; **— a —** little by little
poder to be able, can, may
poderoso powerful
poner to place, put; **— nuevo** to make new, make as good as new; **—se** to put on, become, be; **— se a** to begin to; **—se bien** to get on in the world, obtain full information of an affair; **—se de pie** to stand up
poniente setting
poquísimo very little; *pl.* very few
poquito little, a little
por by, through, on account of, at, for, over, in, as, with; **¿— qué?**

why? — **las mañanas** in the mornings

porción part, portion, lot

porque because

portada portal

porvenir *m.* future

posible possible

posición position

posma dullness; **¡Qué posma de hombre!** What a dumb fellow!

precioso precious, delightful, lovely

precisamente exactly

preciso precise; necessary

preferible preferable

preferir to prefer

preguntar to ask

premio reward, prize

prensa press

preocupación prejudice, opinion

preparar to prepare

prestar to loan

presuroso hasty, quick

primer, primero first; **lo —** the first thing; **a primera hora** very early

primor *m.* beauty, wonder, ability

primoroso lovely, elegant, fine

principiar to begin

principio principle; **al —** at first

prisa hurry; **tener —** to be in a hurry; **de —** quickly, hastily

problema *m.* problem

profesar to profess, declare

profesor *m.* professor

profundo profound

progresar to progress

progreso progress

prójimo neighbor

prolijo prolix, tedious

prólogo prologue

prometer to promise

promover to promote

pronto soon; **de —** suddenly

propinar to present, give

propio proper, suitable, becoming;

con propia mano with his own hand

propósito purpose, design; **a —** for the purpose of

protagonista *m.* hero, principal personage of the drama

proteger to protect, defend

protesta protest

publicar to publish

público public

publiquito public, people

pueblecito small town

pueblo town, people

puente *m.* bridge

puerta door

pues then, since, well

punta point, end

punto point; **estar a —** to be ready

purísimo pure, most pure

pusilánime pusillanimous

Q

que that, for, who, which, than, as, because; **— si** whether

¿qué? what? what a? how? **¿por —?** why? **¿para —?** why? **¿— tal?** how's that?

quedar to remain

quehacer *m.* occupation, work

querer to wish; love, like; **— decir** to mean, signify

querido dear, beloved

quien who, whom, he who, any one who

¿quién? who? whom?

quietecito quiet

quieto quiet, still

quietud quietude, rest, repose

quitar to take off, remove

R

rabiosilla impudent little rascal

rareza rarity, oddity, eccentricity

raro rare, unusual

rato time, while

razón *f.* reason, right; **tener —** to be right

realidad reality

realzar to heighten, raise

rebotica back room behind a druggist's shop

recadero messenger

receta recipe

recibir to receive

reclinar to recline, rest

recobrar to recover

recoger to catch again

recompensar to recompense

recorrer to run over, examine, search

recrear to amuse

recuerdo remembrance; **—s a su tía** remember me to your aunt

recurso recourse

redactor *m.* editor

redicho affected

redondo round

reducir to reduce

referir to relate; **—se** to refer

regalar to give, present

regalito little present

registrar to examine, search

reír to laugh; **—se de** to laugh at

renovación renovation, renewing

reñir to quarrel

reparar to repair

repartir to distribute

reparto distribution

repetir to repeat

reponer to replace; **—se** to recover one's health

reposado quiet, restful

representante *m.* representative

representar to present

requerir to require

resabio vicious habit

reservar to reserve

resistente resisting, firm; effective

respaldo back

respetable respectable

respeto respect

resplandecer to gleam, be brilliant

resultar to result, turn out

retazo piece; **a —s** bit by bit

retirar to retire

retrato portrait, likeness

retroceder to retreat

reunir to unite; **—se** to gather

revolución revolution

rezar to pray, say (read) prayers

rico rich

rinconcito little corner

risa laugh, laughter

ritmo rhythm

robar to rob, steal

robusto robust, healthy

rodear to surround

rodilla knee

romano Roman

ropa clothing; **— interior** underclothes

roto broken

rudo rude, coarse

ruido noise

rumor *m.* rumor, report

S

saber to know, know how

sala room, hall

salir to go out, come out, get out, turn out, leave, enter (in stage directions); **—se con la suya** to have one's way

salita small room

salmodía psalmody, psalm-singing

salón *m.* drawing-room, salon

saloncillo little room

saltar to jump

salto leap, jump

saludo greeting

san, santo, saint; **santo** saintly, holy, blessed

sano healthful

se himself, herself, itself, yourself,

yourselves, themselves; to himself, etc.; one another; — **oyen voces** voices are heard; (*used for le and les*) (to) him, (to) her, (to) them, (to) you

secretario secretary

seguida: en seguida at once

seguir to follow, continue

según according to

segundo second

seguramente surely, certainly

seguro sure, certain

seis six

semana week

Senado Senate

sensacional sensational

sentarse to sit down

sentido understanding, appreciation

sentimiento sentiment, emotion

sentir to feel

señalar to mark out, fix, determine

señor *m.* Mr., gentleman, sir, lord; **tan —es** so gentlemanly

señora Mrs., lady

señorita Miss, young lady

ser to be; *m.* being, creature

serenar to compose, calm

serenidad serenity, calmness

sereno serene, calm

serio serious; **en —** seriously

servidor *m.* servant; **— de usted** at your service

servir to serve

severo severe, harsh

sexo sex

si if, whether, indeed; **que —** whether

sí yes

siempre always

siglo century

siguiente following

silencio silence

silencioso silent

silla chair; **— de manos** sedan, sedan-chair

simpatía sympathy, liking

simpático sympathetic, lovable, amiable

simpleza silliness, absurdity

sin without; **— que** without

sincero sincere

sino but

sitio place, position

situar to locate

soberano sovereign, supreme

sobre on, upon, about; **— todo** especially, above all

sobrina niece

sobrio sober; frugal, modest

socorro help, assistance

sol *m.* sun

solemne solemn

soler to be accustomed, be wont

solitario solitary

soliviantar to stir up, agitate

solo alone, single

sólo only

sombrero hat

sonar to sound; **lo que fuere, sonará** what will be, will be

sonreír to smile

soñar to dream

sortear to cast lots, divide by lot

sosegar to calm, silence, quiet; **sosegado** quiet

sosiego repose, serenity

sospecha suspicion

sospechar to suspect

su his, her, its, your, their

subir to come up, go up, get up

suceder to happen, follow

suceso event

sueño dream

suerte *f.* luck

sujeto person

superfluo superfluous

suponer to suppose

suprimir to suppress

suspirar to crave, desire

suyo his, her, their, your, of his, of hers, etc.; **el —** his, hers, yours, theirs; **salir con la suya** to have one's way

T

tal such, similar, said, that; **un — . . . un cual** this or that; **¿Qué—?** How's that?

taller *m.* workshop

también also

tampoco neither, either

tan so, as

tanda task; number, quantity

tanto so much, as much; *pl.* so many, as many; **en — que** as long as

tapar to mend, stop a leak

tapiz *m.* tapestry

tardar to delay, be long

tarde *f.* afternoon, evening

tarea task; **— de la casa** house work

¡tate! Take care!

te thee, to thee

te *m.* tea; **— de las cinco** five-o'clock tea

teatro theater

telegrafiar to telegraph

telégrafo telegraph (office)

telegrama *m.* telegram

telón *m.* curtain; **a — corrido** with lowered curtain

temático obstinate

temblar to tremble

temer to fear

temible fearful, terrible

temor *m.* fear

temporada time, while, period

temporadita time, while, period

temprano early

tener to have, keep, hold; **— razón** to be right; **— para ir pasando** to have enough to get along; **— prisa** to be in a hurry; **— miedo** to be afraid; **¿Qué tiene?** What's the matter?

tercero third

terminar to finish

término boundary, district

texto text

ti thee, you

tiempo time

tierra land, country, property, earth

tieso stiff; circumspect

tío uncle, fellow; **¡Qué tío!** What a rascal!

tiritar to shiver

tirito shot

título title

tocar to touch; play; belong, concern; be one's turn

todo all, each, every, everything; **de — lujo** quite luxurious, expensive

tolerar to tolerate

tomar to take; **— a broma** to take as a joke; **¡Toma!** See! Look!

tonadilla tune, interlude of music; **la — de todos los días** the same old story

torbellino whirlwind

torre *f.* tower, steeple

torrecilla little tower

tozudo obstinate

trabajar to work

trabajo work, labor

trabuco blunderbuss

tradición tradition

tradicional traditional

traer to bring, carry

traguito little drink

traje *m.* suit of clothes, dress

trajín *m.* traffic

trajinar to transport goods; to potter about

transformar to transform

trapecio trapeze

tratar to deal with, treat; **— de** to try to; **—se de** to be a question of

treinta thirty

tres three

trescient-os, -as three hundred
triste sad
tronco trunk, stock
tu thy, your
tú thou, you
tumulto tumult, uproar
tuyo thine, yours, of yours

U

u or
último last, latest; **a última hora** at a late hour
umbral *m.* threshold
un, uno a, an, one; *pl.* some
unánime unanimous
uniforme *m.* uniform
unir to unite
usted you
utilizar to use

V

vacilar to waver, hesitate
vacío empty
valer to be worth; **más —** to be better
vario various, different; *pl.* several
varón *m.* man
vasco Basque
vaso glass
vecino neighbor; inhabitant
veinte twenty
veinticinco twenty-five
velo veil
vendaval *m.* strong southwest wind
venir to come
ventana window
ventanita little window
ver to see; **¡A —!** Let's see!
verano summer
veras: de veras really, truly
verdad truth; **¿—?** Don't you think so?
verdaderamente truly

verdadero true, real
verde green
vergüenza shame, disgrace
vertiginosamente dizzily, thoughtlessly
vestir to cloth, dress
vez *f.* time; **otra —** again; **alguna —** sometimes, once; **a la —** at the same time; **cada — más** increasingly; **muchas veces** often
viajar to travel
viaje *m.* journey, trip
viajero traveler
vida life
viejecita little old woman
viejo old
viento wind; **hacer —** to be windy
virtud virtue
visaje *m.* face, grimace, wry face
visitar to visit
vista sight; **tener más —** to have better eyes
viva *m.* shout, applause; **¡Viva don Joaquín!** Hurrah for don Joaquín!
vivir to live; *m.* life; **¡Viva España!** Hurrah for Spain!
vivo lively, keen, living
vociferación shout
volar to fly
volver to return; **— a decir** to say again; **— por** to defend
voz *f.* voice, shout
vuelta turn; **dar —s** to spin, whirl, walk back and forth; **dar la —** to make the round of

Y

y and
ya already, now; **— que** now that, since
yo I

Z

Zambomba! Heavens!